Soprintendenza per i Beni Archeologici

Palestrina

Il Museo Archeologico Nazionale

Electa

Ministero per i Beni e le Attività Culturali
Soprintendenza per i Beni Archeologici del Lazio

Soprintendente
Anna Maria Reggiani

Servizio editoria
Livio Crescenzi

Segretaria di redazione
M. Tiziana Natale

Testi
Nadia Agnoli, Sandra Gatti

Ristampa 2006
Prima edizione 1999

Una realizzazione editoriale Mondadori Electa S.p.A., Milano

www.electaweb.com

Sommario

Cenni storici

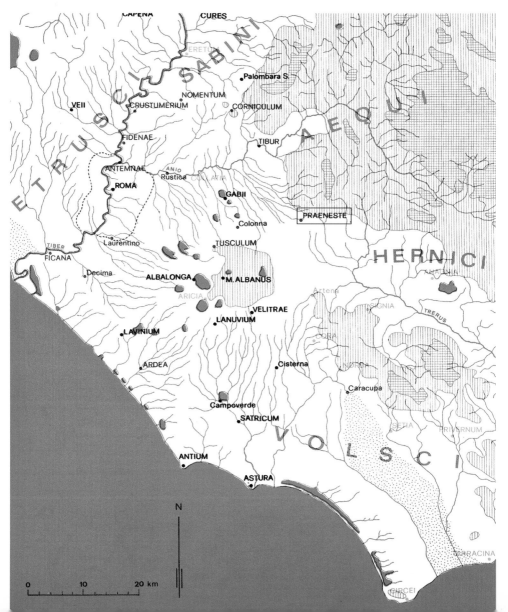

Prima della completa conquista da parte dei Romani, avvenuta solo verso la fine del IV secolo a.C., il Lazio antico era abitato da popolazioni di diversa origine e linguaggio, fra cui anche i Latini, che occupavano la zona a sud del Tevere fino ai monti Lepini. In questo territorio, compreso fra il mare e i primi monti preappenninici, *Praeneste* (Palestrina), ubicata sulle pendici del monte Ginestro e difesa da una potente e imprendibile acropoli (attuale Castel San Pietro), occupa una posizione altamente strategica, a dominio di due fondamentali vie di comunicazione dell'antichità: la valle del Sacco, il principale collegamento interno fra Etruria e Campania, e uno dei più importanti percorsi tra le zone appenniniche e il mare, che, passando fra Tivoli e Palestrina, conduceva all'approdo di Anzio. Questa posizione nodale fu alla base della fortuna della città, la cui ricchezza è testimoniata dai monumenti conservati e dall'abbondante materiale archeologico di alto livello artistico che ci è pervenuto.

La nascita della città, ricondotta dagli autori antichi a origini lontane che si perdono nel mito, era attribuita a un eroe eponimo, *Prainestos*, figlio del re Latino, o a Telegono, figlio di Ulisse e Circe, o ancora a *Caeculus*, figlio del dio Vulcano. La realtà storica, però, non è anteriore alla fine dell'VIII secolo, epoca alla quale risalgono i primi reperti archeologici della città. Si tratta di pochi oggetti di corredo di tombe a incinerazione, rinvenute ai margini dell'area urbana, lungo la via Prenestina.

Il ruolo primario di *Praeneste* appare prepotentemente nel VII secolo (periodo orientalizzante), come testimoniano i preziosi oggetti di corredo rinvenuti in alcune sepolture principesche di famiglie aristocratiche, che dimostrano contatti e scambi con tutti i Paesi del Mediterraneo, e in particolare con gli Etruschi. Le prime notizie storiche tramandate dagli autori antichi risalgono solo all'inizio dell'epoca repubblicana, quando si ricorda la partecipazione di *Praeneste* alla lega latina, coalizione di carattere militare e religioso che riuniva molti popoli latini fin dall'epoca del re Servio Tullio. Le fonti ricordano poi le frequenti lotte con Roma e persino un'alleanza con i Galli in funzione antiromana, fino alla partecipazione di *Praeneste* alla guerra latina nel 339 a.C. In

Carta del Lazio
Preromano

da 0 a 500 m

da 500 a 1000 m

oltre 1000 m

seguito a questi eventi e allo scioglimento della lega latina, la città fu privata di parte del territorio e il suo ruolo fu pesantemente ridimensionato.

Queste vicende belliche e le difficoltà politiche non sembrano accordarsi con la contemporanea documentazione archeologica, nota soprattutto dai corredi delle necropoli, che, a partire dal IV secolo, è invece molto consistente e testimonia un centro florido, con officine locali di artigiani bronzisti e lavoratori dell'argilla, che producevano per ricche committenze locali.

Dopo la seconda guerra punica *Praeneste* fu luogo di esilio e confino dei prigionieri di Roma.

Certamente un periodo di grande prosperità, dovuto alle ricchezze accumulate da gruppi familiari prenestini grazie alle attività commerciali intraprese in Oriente, si evidenzia alla fine del II secolo a.C., quando si assiste a una fase di profonda ristrutturazione urbanistica e monumentale della città.

Durante la guerra sociale, *Praeneste* restò fedele a Roma e in cambio ricevette la cittadinanza romana, ma nella lotta fra Mario e Silla fu di parte mariana e la vendetta sillana determinò lo sterminio della maggior parte dei cittadini prenestini. Gli antichi abitanti vennero sostituiti da una colonia militare sillana e questi eventi ebbero sicuramente un riflesso anche sull'assetto urbano della città, che subì profonde ricostruzioni e ristrutturazioni.

L'importanza della città è così ormai definitivamente ridimensionata rispetto agli splendori dell'età arcaica e repubblicana, e tale fenomeno di crisi traspare anche dall'improvvisa interruzione delle produzioni di artigianato artistico locale. In seguito a un sensibile calo demografico e a quel processo di concentrazione in poche mani della proprietà terriera, e quindi anche di monopolio politico, alcune delle più eminenti famiglie aristocratiche prenestine trovarono spazio trasferendosi a Roma e integrandosi nella vita politica dell'Urbe.

In età augustea i monumenti e i reperti archeologici segnalano comunque una certa ripresa e dalle fonti conosciamo anche una relativa attenzione per la città da parte delle famiglie imperiali. Tiberio vi possedette una residenza, nella quale guarì da una grave malattia, tanto che per dimostrare la sua gratitudine conferì alla città la condizione di municipio. Anche l'imperatore Adriano ebbe una sontuosa villa nel territorio di *Praeneste*, sicuramente identificabile con i resti monumentali conservati nell'area dell'attuale cimitero.

La posizione strategica di *Praeneste*

"[…] Passiamo ora a *Praeneste*: qui è il tempio della Fortuna, famoso per i suoi oracoli. Sia *Tibur* che *Praeneste* sono situate alle falde della stessa catena montuosa e distano l'una dall'altra circa un centinaio di stadi. Ma la distanza fra Roma e *Praeneste* è circa il doppio di quella fra Roma e *Tibur*. Entrambe sono dette "città greche". [...] Ambedue hanno notevoli difese naturali, ma *Praeneste* in particolare, perché la sua acropoli è un monte piuttosto elevato che non soltanto si erge al di sopra della città, ma alle sue spalle è nettamente isolata dalla vicina catena montuosa da una sella che ha un dislivello di due stadi rispetto alla vetta. Oltre alla sua conformazione naturale, che la rende imprendibile, la città ha realizzato al suo interno una serie di passaggi sotterranei che si estendono fino alla pianura, alcuni finalizzati al rifornimento idrico della città, altri invece utilizzati come uscite segrete: fu proprio in una di queste che Mario venne ucciso dopo l'assedio. Ora, se di solito un buon sistema difensivo viene considerato una fortuna, nel caso di *Praeneste* invece questo si è dimostrato dannoso, perché, a seguito di tutte le sedizioni fra i Romani, tutti quelli che hanno tentato una ribellione si sono rifugiati a *Praeneste*. E gli abitanti, se costretti alla resa da un assedio, oltre al danno causato alla loro città devono anche fare i conti con la disgrazia di vedersi confiscato il proprio territorio, perché vengono considerati responsabili di colpe non proprie."
(STRABONE, *Geografia*, v, 3, 11)

La strage sillana

"Silla, che aveva intrappolato Mario a *Praeneste*, fece costruire un vallo fortificato tutto intorno alla città, a una notevole distanza da essa, e lasciò Lucrezio Ofella come sovrintendente ai lavori. Infatti era sua intenzione sconfiggere Mario prendendolo per fame e non affrontandolo in battaglia. [...] Mario si rese conto che la sua condizione era disperata [...]. Quando i Prenestini [...] appresero che [...] l'Italia [...] e Roma [...] erano completamente nelle mani di Silla, consegnarono la loro città [...]. Mario si nascose in un cunicolo sotterraneo e poco dopo si suicidò. Lucrezio gli tagliò la testa e la mandò a Silla, che la espose a Roma nel Foro, di fronte ai Rostri. Si dice che Silla si compiacesse di una battuta sulla giovane età del console dicendo: "Impara a remare prima di voler comandare la nave". Quando Lucrezio prese *Praeneste*, catturò i senatori che avevano avuto il potere sotto Mario e ne condannò alcuni a morte, mentre altri li imprigionò. Questi ultimi furono poi giustiziati da Silla quando giunse a *Praeneste*. Silla ordinò poi che tutti gli altri prigionieri dovessero marciare in pianura disarmati. Fatto ciò, ne scelse alcuni fra di loro che erano stati in qualche modo servizievoli verso di lui. Comandò che gli altri fossero divisi in tre gruppi, Romani, Sanniti e Prenestini. In seguito annunciò ai Romani con un araldo che si erano meritati la morte, ma che tuttavia li avrebbe perdonati. Gli altri invece li sterminò fino all'ultimo uomo, risparmiando le mogli e i figli. La città, allora particolarmente ricca, fu abbandonata al saccheggio. Così fu presa *Praeneste*."
(APPIANO, *La guerra civile*, I, 397-439)

1. Santuario della Fortuna
2. Foro
3. Madonna dell'Aquila
4. Via Prenestina
5. Diverticolo verso la Via Labicana
6. Necropoli
7. Santuario di Ercole
8. Mura poligonali

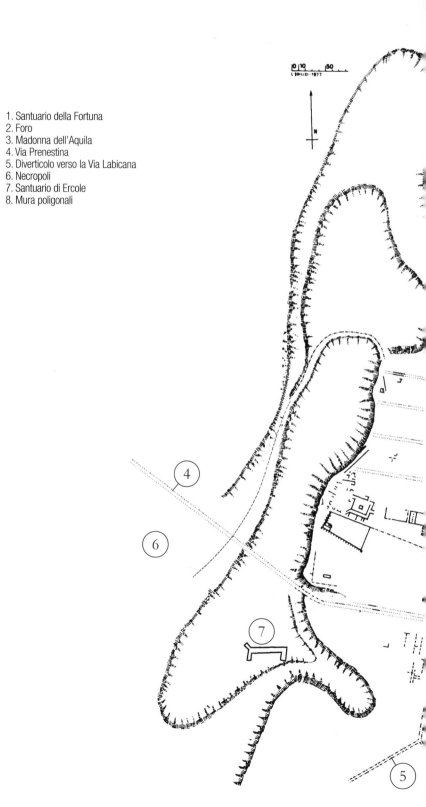

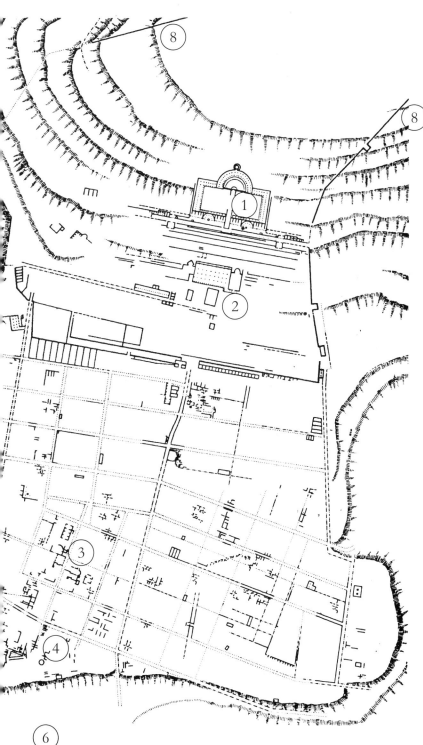

Il santuario della Fortuna Primigenia

La fase di grande prosperità della fine del II secolo rese possibile un'imponente ristrutturazione urbanistica e monumentale della città, che investì gran parte degli edifici pubblici. I Prenestini infatti, come altri cittadini di molti centri del Lazio, approfittando delle guerre di Roma in Oriente, avviarono con questa area del Mediterraneo floride e intense attività mercantili, basate sostanzialmente sul traffico della mano d'opera schiavistica. A Delo, il maggiore mercato di schiavi del Mediterraneo, dove si vendevano fino a diecimila schiavi al giorno, le iscrizioni testimoniano la partecipazione economica di personaggi di *Praeneste* alla costruzione della monumentale *agorà* detta, per l'appunto, "degli Italiani".

Il più imponente di questi interventi edilizi è rappresentato dal santuario della Fortuna Primigenia, nelle forme in gran parte ancora oggi visibili. Durante il medioevo, sulle strutture del santuario si sviluppò l'abitato che per secoli nascose il monumento. Durante l'ultima guerra questa parte della città subì un grave bombardamento e le successive demoli-

La cavea teatrale
con il pozzo secentesco

zioni degli edifici pericolanti permisero la riscoperta del monumento antico. Dopo complessi lavori di scavo e restauro lo Stato acquisì l'area del santuario e Palazzo Colonna Barberini, costruito sulla sommità del santuario stesso.

Il complesso si articola in una serie di terrazze artificiali realizzate sul pendio del colle e collegate da rampe e scalinate, attraverso le quali i fedeli giungevano al punto più alto del complesso, dove si trovava il tempio con la statua di culto di Fortuna. L'edificio si erge su una poderosa sostruzione in opera poligonale (attuale via del Borgo), ai cui lati erano le entrate, dove due scalinate conducevano a complessi simmetrici, in cui avevano luogo i rituali di purificazione dei pellegrini. Da questo punto il percorso proseguiva in sensibile salita con due rampe simmetriche e convergenti verso l'asse centrale della struttura, composte da un doppio passaggio: quello interno scoperto e lastricato, quello più esterno completamente chiuso e coperto a volta. Questa sofisticata soluzione progettuale faceva sì che, dopo una salita faticosa e in

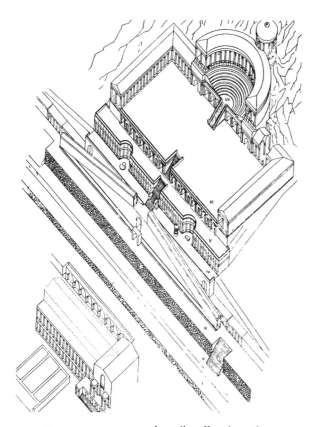

Ricostruzione prospettica del santuario della Fortuna Primigenia

sorreggevano un architrave e al di sopra un tetto conico.

La comprensione di queste strutture antistanti l'emiciclo orientale è resa possibile da un passo di Cicerone (*Della divinazione,* II, 41) in cui è raccontata l'origine del santuario della Fortuna: "I documenti pubblici di *Praeneste* affermano che Numerio Suffustio, uomo nobile e onesto, fu indotto da sogni frequenti e anche minacciosi a scavare la roccia in un preciso luogo. Spaventato da queste visioni, tra i lazzi dei suoi concittadini, cominciò a scavare: così dall'apertura della roccia apparvero le *sortes*, tagliate nella quercia, con antiche lettere incise. Qui è il luogo ancora recintato da limiti sacri accanto alla statua di Giove fanciullo, tenuto in braccio dalla Fortuna e allattato da Giunone: il suo culto è celebrato con grande venerazione dalle madri. Contemporaneamente, nel luogo dove è ora il tempio della Fortuna, si tramanda che un ulivo trasudasse miele, e gli aruspici affermarono che quelle *sortes* sarebbero state le più famose. Per loro consiglio con quell'olivo fu costruita una cassetta in cui furono riposte le *sortes*, che ancora oggi vengono estratte per ispirazione della Fortuna. Ma cosa vi può essere di sicuro in queste, che per ispirazione della Fortuna vengono estratte dalla mano di un fanciullo ? [...] Ma ormai anche questo tipo di divinazione è stato rigettato dalla vita comune. La bellezza e l'antichità del santuario conservano ancora una certa fama alle *sortes* di *Praeneste*, ma solo tra il popolo. Quale magistrato o uomo illustre si servirebbe di esse?".

Il testo, oltre a documentare l'ori-

penombra, il pellegrino si trovasse all'improvviso in piena luce in un punto da cui gli si offriva, a valle, un ampio panorama verso il mare e, a monte, la visuale della meta ideale e, insieme, concreta del suo ascendente percorso spirituale verso la divinità, con un effetto spettacolare caratterizzato da un intenso valore simbolico di purificazione.

Raggiungibile da un'altra scalinata, la terrazza superiore, detta "degli Emicicli", è limitata verso monte da un porticato che si incurva simmetricamente al centro delle due ali a formare due emicicli simmetrici. Davanti all'esedra orientale, oltre alla base di una statua, si conserva un pozzo in origine recintato da un'edicola circolare (*tholos*), composta da un podio sormontato da colonne che

gine molto antica del culto, di natura oracolare, permette di identificare il luogo di ritrovamento delle *sortes* con il pozzo ancora visibile. Un'ulteriore conferma a questa ipotesi è fornita dalla presenza della *tholos*, poiché essa corrisponde alla recinzione sacra del luogo di cui narra Cicerone. La base di statua sopra ricordata doveva perciò sostenere l'immagine della dea Fortuna che allattava Giove e Giunone, la cui testa, attualmente esposta nel Museo (sala I), è stata infatti ritrovata all'interno del pozzo. Al di sopra della terrazza degli Emicicli si trova la terrazza detta dei "fornici a semicolonne", composta da una serie di ambienti destinati a ospitare attività commerciali.

Un'ulteriore scalinata centrale permetteva l'accesso alla terrazza superiore detta "della Cortina", una vasta piazza chiusa su tre lati da un porticato coperto con due volte a botte parallele mascherate da un tetto. Nella parte meridionale la terrazza era aperta, permettendo la vista della vallata. Al centro, sul lato di fondo, si apriva una cavea teatrale, in corrispondenza della quale il porticato della terrazza della Cortinā, passando sotto la cavea, si trasformava in criptoportico, cui si accedeva attraverso sei fornici. La scena del teatro veniva probabilmente allestita temporaneamente solo in occasione degli spettacoli, mentre la gradinata era in travertino. La cavea era coronata con un doppio porticato semicircolare antistante il muro di fondo che, insieme alle basi del colonnato, si conserva all'interno del Palazzo Barberini.

Il santuario si concludeva alla sommità con un tempio circolare, i cui resti, visibili al secondo piano, sono anch'essi inglobati nel

Il santuario
della Fortuna.
Terrazza degli Emicicli

palazzo. Questo tempio, che dovrebbe corrispondere al punto in cui, secondo Cicerone, l'olivo trasudò miele, conservava una seconda statua di culto in bronzo dorato della dea Fortuna.

Il santuario, opera di eccezionale livello tecnico e stilistico, è uno degli esempi più maestosi e imponenti dell'architettura ellenistica in Italia, ispirata a prototipi dell'Egeo orientale e caratterizzata dall'importanza della visione frontale e dall'inserimento scenografico della costruzione nel paesaggio.

Rispetto ai modelli ellenistici la novità sostanziale consiste nell'uso massiccio dell'opera cementizia, un conglomerato di malta e pozzolana mescolata a pietrame calcareo o tufaceo che, per le sue grandi possibilità di tenuta statica, permetteva di superare i modelli dell'architettura tradizionale, basata su elementi ortogonali (piedritti e architravi) di limitata portata orizzontale e verticale, creando invece grandi volte e imponenti sostruzioni con cui si potevano realizzare ardite strutture di grandi dimensioni.

Il santuario di Palestrina, frutto forse del desiderio di affermazione sociale dei gruppi legati allo sfruttamento dell'imperialismo romano, è opera di un architetto geniale, capostipite della generazione dei grandi architetti, attivi a Roma e in Italia fra la fine del II e l'inizio del I secolo a.C., che hanno progettato analoghe grandiose realizzazioni architettoniche, quali, per esempio, nel Lazio, il santuario di Ercole a Tivoli, quello di Diana a Nemi o quello detto di Giove a Terracina.

Per quanto riguarda la natura del culto praticato nel santuario è fondamentale il brano di Cicerone già ricordato, che, nel considerarlo ormai decaduto ai suoi tempi, indica chiaramente l'esistenza di un duplice aspetto del culto, il primo dei quali è da localizzare nella terrazza degli Emicicli, e in particolare nella parte orientale, dove si trova il pozzo.

Più in alto si trovava il secondo luogo di culto con il tempio vero e proprio, l'*aedes Fortunae* citata da Cicerone, nucleo al quale si può riferire il complesso teatro-tempio-triportico, costituito dalla terrazza della Cortina, dalla cavea teatrale e dal tempio terminale.

Si è ritenuto che nella terrazza degli Emicicli, luogo di ritrovamento delle *sortes*, si svolgessero invece i riti di tipo oracolare. La stessa *tholos*, con aspetto e funzione di autentico tempietto e accuratamente chiusa da cancellate, ben si configura come un *sancta sanctorum* tipico dell'oracolo.

Pur concordando nell'identificazione del pozzo come il luogo di ritrovamento delle *sortes*, un'ipotesi più recente riconosce invece la terrazza come il luogo di culto dove le madri prenestine, ricordate con rispetto da Cicerone, rivolgevano suppliche alla divinità od offrivano doni di ringraziamento per le nascite.

La stessa struttura architettonica del santuario confermerebbe questi due ambiti cultuali connessi, ma autonomi, attraverso due percorsi indipendenti e ortogonali. Quello in salita verso il culto oracolare, attraverso le rampe porticate, conduce a un asse centrale che reca direttamente alla cavea teatrale e al tempio. La terrazza degli Emicicli, invece, accessibile in modo indipendente dai lati del santuario, permette un completo percorso trasversale, consentito da una galleria sottostante la scala centrale, senza interferire con il precedente.

L'aspetto del santuario quindi, come è oggi visibile, non è altro che il risultato di un'organica unificazione dei due santuari, in origine diversi tra loro e separati topograficamente, unificazione avvenuta alla fine del II secolo a.C., con una soluzione architettonica geniale che li riunisce in un unico complesso armonico e modulare, un quadrato di 400 piedi di lato (cir-

ca 118 m), suddiviso in una rigida maglia geometrica di unità misuranti 50 piedi (14,8 m).

La cronologia del complesso è stata a lungo discussa, ma oggi la documentazione epigrafica permette senza ombra di dubbio di datare la realizzazione del complesso agli ultimi decenni del II secolo a.C., poiché i magistrati che sono ricordati nelle iscrizioni relative alla ricostruzione del santuario, nella forma ora visibile, appartengono tutti alle famiglie prenestine più eminenti che scomparvero quasi totalmente dopo Silla.

La terrazza degli Emicicli e la terrazza dei Fornici

L'oracolo della dea Fortuna di Palestrina

"Ci sono molti elementi per dimostrare non solo quanto [Tiberio] fosse odiato e malvisto dai suoi contemporanei, ma anche che condusse un'esistenza dominata costantemente dalla paura, e che arrivò persino a essere esposto agli insulti. Giunse a proibire che si potessero consultare indovini in privato e senza testimoni. Tanto è vero che cercò persino di sopprimere gli oracoli esistenti nei dintorni della città, ma se ne astenne nel caso delle sorti prenestine, spaventato dal loro potere divino. Sebbene le avesse fatte sigillare in una cassa e portare a Roma, non riuscì più a trovarle fino a quando la cassa non fu riportata nel tempio della Fortuna Primigenia."
(SVETONIO, *Tiberio*, LXIII, 1-2)

Palazzo Colonna Barberini

Il palazzo fu costruito dai Colonna sulle strutture dell'emiciclo superiore del santuario della Fortuna Primigenia intorno al 1050, epoca in cui la famiglia si insediò a Palestrina. L'edificio subì una prima distruzione nel 1298, quando Palestrina, dopo un assedio durato quasi un anno, fu rasa al suolo per ordine di Bonifacio VIII, il quale aveva ingiunto la confisca dei beni ai Colonna che avevano tentato di invalidarne l'elezione. Di questo periodo è un documento di sottomissione al Papa, dal quale si deduce che il palazzo, avendo due torri ai lati, svolgeva la funzione di fortezza militare, in una posizione a dominio della città e della campagna sottostante. La città fu presto ricostruita, e con essa la residenza dei principi, ma subì una seconda rovinosa devastazione nel 1437, per opera di Eugenio IV che, entrato in discordia con i Colonna, diede ordine al cardinale Vitelleschi, capo delle truppe pontificie, di muovere su Palestrina.

Il successore di Eugenio IV restituì ai principi prenestini il feudo e acconsentì alla ricostruzione della città e del palazzo: venne chiuso il colonnato e l'edificio diventò a due piani. Sembra che intorno al 1450 abbia soggiornato nel palazzo Leon Battista Alberti, il famoso umanista e architetto.

Tra il 1450 e il 1500 Francesco Colonna ricostruì nuovamente il palazzo, aggiungendo al centro della scalinata semicircolare il pozzo ottagonale fiancheggiato da due colonne e realizzando il portale (1498), strettamente connesso con quello del contemporaneo Palazzo di Santa Croce a Roma.

Il palazzo si distingue dalle altre costruzioni romane erette su antichi monumenti per la scelta consapevole della sua forma, che rappresenta una sintesi voluta di antico e moderno, un felice prodotto della progettazione rinascimentale che influenzò addirittura il Bramante, il quale ne ripropose l'aspetto nel Belvedere del Vaticano.

Maurizio Calvesi ha identificato l'architetto del palazzo proprio in Francesco Colonna, l'autore dell'*Hypnerotomachia Poliphili* (Battaglia d'amore in sogno di Polifilo), famoso libro stampato nel 1499, decorato da incisioni attribuite tra gli altri a Mantegna, a Giovanni

Bellini e a Raffaello, e considerato il libro tipograficamente più bello del Rinascimento.

Nel 1630 i Colonna vendettero la città e il palazzo a Carlo Barberini, fratello di Urbano VIII, per 775.000 scudi. L'edificio fu così ricostruito nella sua forma attuale da Taddeo Barberini nel 1640, anno in cui il cardinale Francesco, fratello di Taddeo, vi collocò il celeberrimo mosaico del Nilo. Pochi anni dopo fu costruita da Francesco Contini l'adiacente chiesa di Santa Rosalia, commissionata da Maffeo Barberini in ringraziamento per la salvezza della città da un'epidemia di peste, dove per lungo tempo fu conser-

vata la Pietà Barberini attribuita a Michelangelo, ora a Firenze nella Galleria dell'Accademia.

In alcune sale si conservano notevoli affreschi attribuiti alla scuola degli Zuccari. Al primo piano, nella sala a sinistra dell'atrio, è decorata la volta, in cui era raffigurato, al centro, il Parnaso con Apollo tra le nove Muse, mentre ai lati sono ancora visibili il carro di Venere tirato da colombe e quello di Giunone tirato da pavoni; nelle lunette sono scene di paesaggi e di marine entro clipei rotondi e gli stemmi dei Barberini.

Al secondo piano, le pitture delle sale IX e X sono composte da una serie di quadri con scene mitolo-

giche (Polifemo), bibliche (Sodoma e Gomorra), storiche e mitologiche (cavallo di Troia, Pirro, Orazio Coclite, Attilio Regolo, Muzio Scevola ecc.). È inoltre da segnalare una veduta di Palestrina all'inizio del XVII secolo, dove in particolare è visibile anche il palazzo baronale senza ancora l'aggiunta del corpo centrale.

Allo stesso piano, nell'ala occidentale, è la cosiddetta sala dei Trofei (sala XII), decorata quando il palazzo era ancora di proprietà dei Colonna, poiché lo stemma di famiglia compare nelle mensole dei sottotravi e sulle pareti, ricoperto da quello dei Barberini. La decorazione fu eseguita in due tempi: in origine doveva essere composta da un fregio sull'alto delle pareti, con riquadri di paesaggi alternati a pannelli con motivi di tradizione classica; in un secondo tempo fu dipinta la parte sottostante con una serie di trofei di armi alternati a cariatidi e telamoni sorreggenti un baldacchino frangiato.

Nella sala che segue, oltre a un camino in marmo cinquecentesco, è da notare una porta, oggi murata, che dava accesso all'appartamento di Urbano VIII, rimasto di proprietà della famiglia Barberini. La porta ha stipiti e architravi in pietra, e nel soprapporta è il disco del sole, insegna dei Barberini.

Palazzo
Colonna Barberini

Il Museo Archeologico

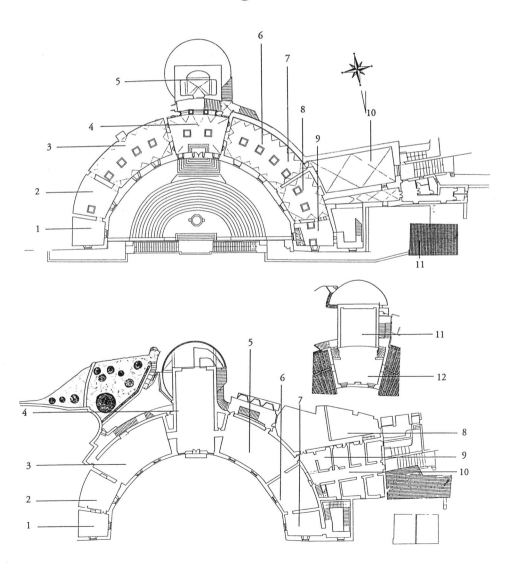

I nuclei fondamentali dell'attuale Museo hanno origine già agli inizi del Novecento, ma è solo dal dopoguerra che si realizza in pochi anni sia il recupero delle strutture del santuario, sia l'allestimento del Museo, inaugurato nel 1956.

Il Museo allora allestito già esponeva le opere più rilevanti dell'antica *Praeneste*, ma il progresso della museografia e l'affermazione di una moderna cultura della didattica hanno reso indispensabile la completa riorganizzazione dell'allestimento, ultimato nel 1998, che ha cercato di mantenere un giusto equilibrio fra edificio, già museo di se stesso, e collezioni archeologiche. Il riordino del Museo si è basato sostanzialmente su criteri tematici che tenessero conto anche degli elementi cronologici e dei dati di provenienza dei reperti.

Il percorso di visita si svolge, quindi, attraverso la successione di diversi temi, dal culto di Fortuna, alla scultura ellenistica e iconica, fino all'età augustea e imperiale, per passare ai documenti epigrafici e agli altri culti di *Praeneste*.

Queste sezioni sono allestite nelle sale del primo piano, dove è esposto anche il famoso gruppo scultoreo della Triade Capitolina, opera unica e di straordinaria importanza, recuperata nel 1993 dai Carabinieri dopo il trafugamento a seguito di uno scavo clandestino.

Il secondo piano è dedicato alla necropoli e ai santuari. Nell'ala destra sono esposti i reperti dei corredi delle tombe medio-repubblicane (IV-III secolo a.C.), i busti e i cippi funerari di calcare, i segnacoli delle tombe e i sarcofagi in peperino.

Nell'ala sinistra sono allestiti i reperti votivi in terracotta del santuario di Ercole, l'altro importante luogo di culto di epoca repubblicana di *Praeneste*, e infine i materiali della decorazione architettonica.

Al terzo piano è visibile il grande mosaico policromo con l'inondazione del Nilo e il plastico ricostruttivo del santuario della Fortuna (scala 1:50).

Parte integrante del percorso museale è la visita del criptoportico, la galleria che circondava la terrazza più alta e più grande del santuario della Fortuna, successivamente inglobata nel Palazzo Barberini, sede dell'esposizione di una serie di materiali lapidei che illustrano la storia del santuario della Fortuna, della città e del territorio.

Il culto di Fortuna
Fecondità e vaticinio

*Fortuna, il cui culto in origine era legato
alla fecondità, già in tempi antichi si
presenta anche come divinità vaticinante.
La stessa duplicità dei poli del santuario
prenestino riflette quella del culto della dea,
consultata per i responsi oracolari e
venerata per le sue prerogative femminili.
Il culto era praticato nel tempio sommitale
e sulla terrazza degli Emicicli.
Nell'iconografia classica, molto diffusa in
età imperiale, la dea veniva raffigurata con
la cornucopia sorretta dal braccio sinistro e
il timone sul fianco destro, come nella
statua frammentaria di Fortuna esposta a
sinistra dell'ingresso. In questo caso, però,
la statua rappresentava una donna
raffigurata con gli stessi attributi di
Fortuna, secondo un modello di
rappresentazione della persona in forme
normalmente adottate per raffigurare le
divinità, inizialmente riservato soltanto
alle donne della famiglia imperiale.*

Gruppo delle Fortune su portantina

Nel piccolo gruppo (I secolo a.C.) è
simboleggiato il duplice aspetto di
Fortuna: a sinistra è raffigurato un tipo
giovanile e, a destra, un tipo matronale.
In queste figure, tagliate all'altezza delle
ginocchia e poggiate su una portantina,
sono da riconoscersi le immagini delle
Fortune, che venivano portate in
processione e il cui culto era diffuso
anche in altre zone del Lazio. Su monete
di Anzio, per esempio, queste divinità
sono rappresentate, quella giovanile con
il capo cinto da un elmo e quella
matronale con un diadema.
Con gli stessi attributi si pensa fossero
raffigurate anche in questo gruppo
scultoreo.

Testa di Fortuna

Secondo la testimonianza di Cicerone, accanto al pozzo delle *sortes*, nell'emiciclo orientale del santuario, era collocata la statua di Fortuna raffigurata in atto di allattare Giove e Giunone fanciulli. Questa testa, trovata proprio nel pozzo, probabilmente apparteneva a quella immagine di culto.

Statua colossale di Iside-Fortuna

La statua (fine II secolo a.C.), attribuita all'ambiente artistico rodio, manca di alcune parti e della testa, eseguite a parte in marmo bianco e poi applicate, come dimostra, sulla spalla sinistra, l'incavo per l'inserimento del braccio. La scultura rappresenterebbe Iside, per cui l'uso del marmo di Rodi potrebbe spiegarsi con la necessità di rappresentare una dea vestita di nero, quale appunto la divinità egiziana. Il sincretismo religioso tra Iside e Fortuna Primigenia è dovuto alle prerogative femminili e materne delle due divinità.

L'età ellenistica
Produzione artistica
e tradizione greca

*Alla fine del II secolo a.C. Praeneste
conosce un periodo di intensa attività
artistica. La ristrutturazione urbanistica e
la costruzione del santuario erano state
sostenute finanziariamente dai
Praenestini che si erano arricchiti
esercitando commerci con i mercati
orientali, apertisi dopo la conquista
romana. Proprio in questi contatti con
l'Oriente è da ricercare l'origine
dell'impronta ellenistica della produzione
artistica prenestina, evidente anche nella
stessa architettura del santuario. La nuova
e ricca committenza, oltre a importare
opere d'arte dalla Grecia, spinse gli artisti
a trasferirsi e a realizzare le sculture sul
posto seguendo la propria tradizione
artistica d'origine, soprattutto dopo la
decadenza di Atene e di Delo.
Il fenomeno artistico che caratterizza
questo periodo è quello del "neoatticismo",
termine utilizzato per indicare non solo la
produzione ateniese del tardo ellenismo, ma
anche le creazioni artistiche di età romana
che, almeno fino all'età adrianea, si
ispirano alle opere greche di questo periodo.
Il neoatticismo inizia intorno alla metà del
II secolo a.C. ad Atene, dove nelle botteghe
di scultura, accanto a nuove creazioni
ispirate a motivi della Grecia arcaica,
classica ed ellenistica, si producevano copie
di originali destinate alla clientela romana,
desiderosa di mostrarsi così partecipe della
cultura greca.*

Statua di Afrodite

Si tratta di una copia tardo-ellenistica
(fine II secolo a.C.) di un originale di
impronta fidiaca. Lungo la parete di
fondo, provenienti dalla terrazza della
Cortina, sono tre statue femminili (fine
II-inizi I secolo a.C.) realizzate con
diversi blocchi di marmo greco uniti tra
loro. In mancanza della testa e di
attributi resta incerta l'identificazione
delle figure, forse sacerdotesse del culto
o matrone prenestine che, per devozione
e insieme per autorappresentazione,
fecero collocare nel santuario le proprie
statue, eseguite da maestranze greco-
orientali.

Testa femminile velata (II secolo a.C.)

Si tratta di uno degli esemplari più
rappresentativi del tardo ellenismo; nelle
caratteristiche del volto si coglie un
richiamo alle sculture del tempio di
Despoina presso Licosura in Arcadia,
opera di Damofonte di Messene (150
a.C.). La testa è realizzata in due blocchi
di marmo (uno per il volto e il collo,
l'altro per la parte superiore del capo,
il velo e parte dei capelli).

Statua di Musa seduta

La statua rappresenta una musa seduta
sulla roccia, replica di una delle nove Muse
appartenenti al ciclo creato da Philiskos
di Rodi alla metà del II secolo a.C.

La statuaria iconica
Iconografia ideale e ritratto realistico

Il ritratto romano, che ha valore politico e sociale oltre che artistico, nasce come prerogativa dell'aristocrazia, alla quale spettava il diritto di esporre nell'atrio della propria casa e nei funerali le immagini degli antenati. Tuttavia il ritratto repubblicano trova i suoi presupposti nell'arte greca, dove nel periodo ellenistico era maturato lo studio del ritratto fisionomico, cui la ritrattistica romana tardo-repubblicana rimase in parte debitrice.

Alla personalizzazione del volto non corrisponde pari realismo nella raffigurazione del corpo. Già in età repubblicana e per tutto il periodo imperiale la statua onoraria tipica era quella della figura togata, essendo la toga a qualificare il personaggio come cittadino romano,

conferendogli dignità e sobrietà. Molto frequente era anche l'uso di collocare il ritratto su corpi ideali, quasi sempre modelli o rielaborazioni di tipi statuari greci. Nel mondo ellenistico, infatti, la statua onoraria celebrava virtù e qualità sovrumane e il soggetto era raffigurato in forme divine o eroiche. La nudità eroica e più in generale questa forma di esaltazione, inizialmente estranea, penetra nell'iconografia romana nella fase di ellenizzazione che investe più in generale l'arte e i costumi.

Le donne venivano spesso rappresentate secondo l'iconografia tipica delle divinità, come nel caso della statua femminile acefala (databile intorno al 130 d.C.), che raffigura una donna con tunica e mantello nelle vesti di Cerere, della quale forse portava gli

attributi: un mazzo di spighe e papaveri.
Caso analogo è anche quello rappresentato
dalla statua femminile seduta su un sedile,
con tunica e ampio mantello animati da
pieghe lavorate a trapano. Questa
iconografia, nota da prototipi greci, è molto
diffusa in età romana per raffigurare
divinità femminili in trono o per statue di
donne assimilate a dee. In questo caso, però,
perduti la testa e gli attributi, è impossibile
identificare la divinità rappresentata.
Lungo le pareti sono collocate basi di statue
iconiche di personaggi eminenti di Palestrina,
le cui iscrizioni ricordano meriti e cariche
rivestite. È questo il caso della base della
statua di T. Caesius Primus,
eretta nel 136 d.C. dal figlio Caesius
Taurinus: *all'attività del personaggio,*

mercator frumentarii, *fanno riferimento*
le spighe e i contenitori per il grano
raffigurati sul coronamento. Nel caso di
un'altra base, il personaggio ricordato
dall'iscrizione, Cn. Voesius Aper, *oltre*
ad aver rivestito le magistrature municipali,
fu addetto anche al culto imperiale, ma
l'onore della statua gli fu conferito per aver
offerto uno spettacolo gladiatorio e per aver
costruito a sue spese lo spoliarium
(ambiente dove si spogliavano i gladiatori),
tra la fine del II *e il* III *secolo d.C. Un'altra*
base era destinata a sostenere l'effigie di M.
Aurelius Iulius Eupaepes, *privilegio*
conferitogli per l'organizzazione di spettacoli
teatrali in onore della Fortuna e di un
grandioso spettacolo gladiatorio.

Statua maschile paludata

La statua raffigura un uomo secondo
un'iconografia eroica tardo-ellenistica
adottata per celebrare meriti militari.

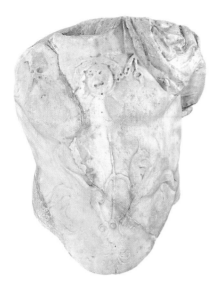

Statua loricata

Il torso (metà I secolo d.C.) raffigura un personaggio vestito con la corazza riccamente ornata e con il mantello che i militari portavano sulla corazza stessa. Le braccia e la parte inferiore del corpo erano realizzate in blocchi diversi di marmo.

Statua di Hermes

Il prototipo dell'Hermes prenestino (inizi II secolo d.C.) è da attribuire a Cleone di Sicione, scultore appartenente all'ultima generazione degli allievi di Policleto, attivo intorno alla metà del IV secolo a.C. Nel ritmo e nell'anatomia vigorosa è ancora apprezzabile la sobria eleganza dell'originale greco.

Testa ritratto maschile

Ritratto di uomo maturo dall'aspetto austero (metà I secolo a.C.). Il taglio alla base del collo dimostra che la testa era inserita su una statua ritratto.

Testa ritratto maschile

Il ritratto (III o II secolo a.C.) è caratterizzato dall'incisività dei lineamenti e dall'intenzione di una ricerca fisionomica. Potrebbe trattarsi della trasposizione in marmo di un'immagine in legno o terracotta.

La statuaria ionica

Le norme giuridiche (*ius imaginum*) che regolavano il privilegio di tenere le immagini degli antenati nell'atrio, l'ambiente centrale della casa, prevedevano che queste immagini dovessero conservarsi ciascuna entro un armadietto a sportelli che il membro più autorevole della casa poteva aprire solo in determinate occasioni. Ogni armadietto era munito di un'iscrizione con il nome e i titoli del defunto che venivano a comporre, con tutti gli altri, un albero genealogico. Questo diritto alle immagini, strettamente gentilizio, competeva ai discendenti e ai consanguinei, mentre la moglie portava con sé le immagini dei propri antenati che venivano inserite nella serie già esistente nella casa del marito. Si conoscono incidenti e proteste per l'inserimento dell'immagine di un estraneo nella serie di una *gens*. Tutto ciò comportava che di una *imago* si dovessero a volte fare numerose repliche, per soddisfare gli appartenenti ai vari rami della famiglia. Quando le immagini di cera furono sostituite da sculture vere e proprie, anche di queste si facevano molte repliche, alcune subito, altre in epoche successive. Si deve perciò considerare che solo un ristretto numero di ritratti repubblicani conservati sono stati effettivamente eseguiti in quell'epoca. La maggioranza, infatti, e specialmente quelli identificabili come membri di grandi famiglie patrizie, ci sono pervenuti solo in repliche più tarde, di età imperiale, dove lo stile originario si mescola con elementi di stile diverso, cioè del tempo nel quale la copia è stata eseguita. Ciò rende spesso incerta l'attribuzione cronologica attraverso l'analisi dello stile.

Testa ritratto
(Museo di Palestrina)

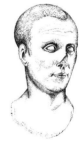

Testa ritratto
(Roma, Museo Nazionale Romano in Palazzo Massimo alle Terme)

Testa ritratto
(Museo di Palestrina)

Statua ritratto di "generale" romano dal tempio di Ercole a Tivoli
(Roma, Museo Nazionale Romano in Palazzo Massimo alle Terme)

Atrio
Gruppo della Triade Capitolina

La scultura, recuperata nel 1994, era stata trafugata da una villa romana presso Guidonia, nel territorio di Tivoli. Il gruppo raffigura le tre divinità tutelari di Roma, Giove, Giunone e Minerva, ciascuna con gli attributi canonici e l'animale a essa sacro. Al centro, Giove col fascio di fulmini nella mano destra, nella sinistra lo scettro, ai piedi l'aquila. Alla sua sinistra, Giunone regge nelle mani patera e scettro, ai piedi il pavone. Alla destra di Giove, Minerva, ormai priva degli arti superiori, ma che

certamente con la sinistra sorreggeva l'asta, mentre con la destra sosteneva sul capo l'elmo, ai piedi la civetta. Dietro ciascuna divinità, una piccola vittoria alata che incorona Minerva di alloro, Giove con corona di quercia, Giunone con una di petali di rose.

L'opera è l'unico gruppo scultoreo a tutto tondo raffigurante la Triade Capitolina, finora nota solo da riproduzioni su monete, medaglioni, rilievi e pochi frammenti delle statue di culto, dove però le divinità

compaiono sedute ciascuna su un trono oppure con Giunone e Minerva stanti che affiancano Giove in trono. Le caratteristiche del gruppo, l'uso del trapano nelle capigliature e nelle pieghe dei panneggi, suggeriscono una datazione in età tardo-antonina (160-180 d.C.).

Il gruppo era probabilmente collocato nel larario della villa, a protezione della casa e dei suoi abitanti, testimoniando così la trasposizione del culto dall'ambito pubblico alla sfera privata.

Lungo le pareti dell'atrio, nelle due nicchie a sinistra, si trovano due statue identiche ma speculari di Mercurio, conservate solo nella parte inferiore del corpo. Ai lati sono raffigurati un ariete e un gallo. Tra le prerogative principali Mercurio aveva quella di favorire i commerci, proteggere le greggi e annunciare il giorno.

Nella nicchia di fondo è un'urna cineraria (fine I-inizi II secolo d.C.) dedicata da Terentia Genesis al suo tata, ovvero a colui che l'aveva allevata, C. Terentius Anacletus. Sotto la tabella, in una conchiglia affiancata da delfini, un ritratto femminile con acconciatura di età flavio-traianea.

Nelle nicchie della parete destra sono esposte una maschera dionisiaca e una maschera teatrale di tipo comico. Le maschere marmoree costituivano un elemento utilizzato per la decorazione dell'esterno degli edifici o in ambienti particolari per creare effetti di luce, filtrata attraverso le aperture degli occhi e della bocca. Di rado rinvenute nella collocazione originaria, le maschere decoravano spesso le scene dei teatri oppure erano applicate all'esterno, in corrispondenza dei conci di chiave delle arcate. Le reali maschere indossate dagli attori erano in legno o tela stuccata, completate da capelli e barba di pelo o altro materiale. Perduti gli originali utilizzati in teatro, la loro conoscenza è dovuta proprio a questo tipo di riproduzioni in marmo.

Statua di
Hermes seduto

L'età augustea
Propaganda imperiale
attraverso l'immagine

*I mutamenti politico-culturali che
segnarono il passaggio dalla repubblica
all'impero furono accompagnati da una
radicale trasformazione del linguaggio
artistico. Il programma politico di
Augusto, dopo le precedenti vicende legate
alle sanguinose guerre civili, si ispirava a
princípi di pace, sicurezza e prosperità,
mirando a un risanamento morale della
società con un costante richiamo ai valori
degli antenati e in particolare alla* pietas,
*una delle principali virtù del principe. Tali
contenuti furono propagandati anche
attraverso la produzione artistica, il cui
linguaggio formale tende ad adeguarsi al
programma politico. La stabilità dello
Stato nella pace e nella prosperità infonde
un clima di ottimismo e sia l'arte sia la
letteratura (in particolare la poesia di
Orazio e Virgilio) descrivono la propria
epoca come una sorta di "rinascimento",
celebrando il ruolo salvifico del principato
di Augusto.*

Gli altari gemelli, dedicati alla Pax *e alla*
Securitas, *sono l'espressione del consenso
della città di Palestrina al nuovo corso
politico. Riconoscente per la ritrovata
stabilità, la cittadinanza rende omaggio
alla* Pax Augusti *con la quale terminava
il periodo di lotte civili che avevano
caratterizzato gli ultimi anni della
repubblica. Gli altari presentano identica
decorazione costituita da quattro bucrani
che sorreggono le ghirlande di fiori e frutti.
Nell'arco della ghirlanda è incisa la dedica
alla* Securitas *in un caso, alla* Pax
*nell'altro, e sotto di essa sono indicati i
dedicanti. La formula si ripete su due lati
degli altari con piccole varianti nelle
abbreviazioni.*

*Sulle pareti corte della sala sono esposte
una testa di Augusto giovane e una di
Faustina Maggiore, moglie dell'imperatore
Antonino Pio (138-161 d.C.). I ritratti
facevano parte di due acroliti, statue di
dimensioni monumentali con le parti nude
in marmo e il corpo realizzato in legno o
bronzo. Le due teste, entrambe realizzate
in età antonina, erano collocate in uno
spazio pubblico non identificato.*

Rilievo della serie Grimani

Altare dedicato al Divo Augusto

Sulla fronte dell'ara, da un clipeo
incavato, emerge il busto ritratto di
Augusto; intorno al capo rimangono i
fori per l'applicazione di una corona in
metallo, attributo riservato solo ai ritratti
degli imperatori divinizzati dopo la
morte. L'iscrizione sotto la ghirlanda,
infatti, consacra l'altare ad Augusto
divinizzato: *Divo Aug(usto) Sacrum*, e
quindi in un momento successivo alla
sua morte, in età tiberiana.

*Altari gemelli dedicati alla Pax
e alla Securitas Augusti*

Base di candelabro neoattico

Per la forma della base, in marmo
pentelico, e per le caratteristiche della
decorazione questo candelabro neoattico
(fine II secolo a.C.) si annovera tra gli
esemplari più antichi. Sui tre lati della
base sono raffigurati Dioniso, un satiro
e una menade.

I rilievi Grimani

La lastra, insieme ai due celebri "rilievi Grimani" del Kunsthistorisches Museum di Vienna e ad un quarto frammento conservato nel Museo di Belle Arti di Budapest, faceva parte della decorazione di una fontana e, come suggerisce la sua forma lievemente concava, era collocata in una nicchia semicircolare. Come gli esemplari viennesi, raffiguranti una pecora e una leonessa in atto di allattare i cuccioli, anche il rilievo di Palestrina rappresenta una scena di maternità. In un ambiente naturale ricco di vegetazione una femmina di cinghiale allatta i piccoli e affettuosamente volge la testa verso la prole. La qualità del rilievo rivela l'opera di una bottega di Roma, certamente in rapporto con le maestranze dell'*Ara Pacis*. È il monumento più rappresentativo del clima dell'età augustea, espressione di un diffuso ottimismo reso possibile dal nuovo corso politico di Augusto, e diventa in tal modo un efficace veicolo della propaganda imperiale.

Museo di Palestrina

Vienna, Kunsthistorisches Museum

Vienna, Kunsthistorisches Museum

L'età imperiale
Tradizione e innovazione

Il consolidamento dell'unità politico-amministrativa dell'impero determinò un processo di unificazione culturale e l'arte pubblica divenne veicolo privilegiato per la diffusione di valori politici e ideologici attraverso la comunicazione visiva. Tali messaggi risultavano comprensibili alla moltitudine dell'impero grazie a un repertorio formale e iconografico standardizzato e quindi immediatamente riconoscibile. Nello sviluppo di questo linguaggio artistico il patrimonio figurativo ereditato dall'arte greca ebbe un ruolo fondamentale: in ogni periodo dell'arte romana, infatti, indipendentemente dallo stile dell'epoca, si attinse alle forme artistiche del periodo arcaico, classico, ellenistico, adattando di volta in volta i diversi prototipi al contenuto del tema trattato nella nuova creazione artistica. Nella produzione scultorea hanno un posto di rilievo le repliche di capolavori dell'arte greca destinate alla decorazione di edifici pubblici e privati, attraverso le quali è possibile conoscere gli originali perduti.
Nella sala è una base di candelabro con gli angoli decorati da tre sileni; è conservata solo nella parte inferiore e scavata all'interno per essere riutilizzata come vasca. Su ciascun lato, al centro, è raffigurato un cratere colmo di grappoli d'uva con teste di Pan all'imposta delle anse. Tali motivi iconografici sono

frequenti nella decorazione di candelabri e crateri marmorei della prima età imperiale.

Lungo la parete sono collocati due esempi della ritrattistica di età imperiale. Si tratta di due teste ritratto di fanciullo: l'uno (inizi II secolo d.C.) con un tipo di pettinatura introdotta nella moda maschile da Traiano e l'altro, dal volto paffuto, databile in età giulio-claudia (metà I secolo d.C.). È inoltre esposta una testa (I secolo a.C.-inizi I d.C.), appartenente a una figura ideale, un atleta o un giovane eroe, che rimanda a modelli greci del IV secolo.

Il rilievo rappresenta una scena di trionfo in cui l'imperatore Traiano avanza su una quadriga incoronato dal servus publicus. Partecipano al corteo i littori contraddistinti dai fasci.

Nonostante il tema storico-politico e lo schema derivato da modelli figurativi dell'arte ufficiale, il linguaggio artistico usato non trova confronti nei monumenti pubblici con analoghe raffigurazioni di trionfo. Il rilievo traduce il contenuto della rappresentazione sottolineando con le dimensioni maggiori dell'imperatore l'importanza e il ruolo di trionfatore. La disposizione delle figure, la mancanza di profondità nella resa spaziale, la rinuncia a proporzioni naturalistiche in favore di una 'misura gerarchica' dei personaggi sono convenzioni vicine all'arte cosiddetta "plebea", riprese in età tardo-antica anche nei monumenti

Testa di fanciullo

dell'arte ufficiale. Il rilievo, databile alla prima età adrianea, è pertinente a un monumento onorario o forse al monumento sepolcrale di un personaggio legato a Traiano nelle vicende della sua carriera.

Rilievo con la raffigurazione del trionfo di Traiano

Busto ritratto femminile

La scultura (fine I-primi decenni II secolo d.C.), realizzata in marmo lunense (busto) e in marmo pario (testa), raffigura una donna caratterizzata fisionomicamente e con una complessa acconciatura. Si inserisce tra i ritratti femminili che mostrano acconciature con alti *toupet*, introdotti in epoca flavia e ancora in voga in età traianea.

Statua del satiro in riposo

La statua è una eccellente replica
(I secolo d.C.) del celebre *Anapauòmenos*
di Prassitele, un giovane satiro in riposo
appoggiato al tronco di un albero. Il
corpo è appena coperto da una pelle di
pantera, accuratamente caratterizzata dal
pelame morbido e delicato. Il Satiro in
riposo e l'Afrodite Cnidia sono tra i
capolavori più noti dello scultore
ateniese, creati nel pieno della sua
maturità artistica, intorno al 340 a.C.
Prassitele fu molto amato dai Romani e
gli autori antichi, in particolare Plinio e
Pausania, hanno ampiamente trattato
della sua intensa attività, svolta
principalmente ad Atene. Le sue opere,
che privilegiano soggetti giovani nel
fiore della bellezza, furono riprodotte in
numerose copie, tanto che il Satiro in
riposo è conosciuto da oltre cento
repliche provenienti in gran parte da
Roma e dintorni.

I documenti epigrafici
Religione, politica e società
a *Praeneste*

Le iscrizioni di Praeneste *offrono
preziosi elementi per ricostruire tutti gli
aspetti della storia della città, dagli eventi
politici alle attività professionali, dalla vita
religiosa al culto dei morti.
Nelle iscrizioni trovano riscontro le vicende
narrate dalle fonti antiche, con particolare
riferimento alla guerra civile, quando la
città, schieratasi con Mario, subì la
repressione di Silla che ordinò il massacro
di tutti i Prenestini, tranne donne,
bambini e pochi cittadini a lui favorevoli.
L'episodio, narratoci da Appiano, trova
conferma nelle iscrizioni, dove si osserva un
cambiamento nell'onomastica e la
scomparsa dei gentilizi più illustri:*

Saufeii, Magulnii, Etrilii, Dindii,
Anicii *sono solo alcune delle famiglie che
contribuirono alla costruzione del
santuario, ma i loro nomi scompaiono
quasi totalmente dopo la repressione di
Silla. A epoca presillana risalgono dunque
la base con la dedica di* P. Saufeius *e il
frammento di abaco con il nome di* L.
Dindios.
Molto importanti sono le iscrizioni che
menzionano cariche pubbliche ricoperte da
membri di queste famiglie: il cippo posto
per la consacrazione di un santuario, opera
di due* praetores *delle famiglie dei*
Magulnii Scatones *e dei* Saufeii
Flaccii, *e l'iscrizione che ricorda la*

costruzione di una cucina per pubblici banchetti da parte di due quaestores, membri della gens Saufeia.

Di età sillana è invece l'epigrafe relativa al restauro di un edificio termale a cura di Q. Vibuleius e L. Statius, i cui gentilizi non sono attestati prima della repressione sillana; si tratta infatti di famiglie nuove che sostituirono nelle magistrature i politici locali sterminati da Silla.

I documenti epigrafici ci informano anche dell'attività artigianale della città, la cui produzione era connessa con il santuario e le esigenze dei pellegrini. Le dediche dei collegia professionali (che documentano l'esistenza di lavoratori del metallo, banchieri, tagliatori di legno o pietra, portatori di lettighe, macellai che vendevano carne per sacrifici, fabbricanti di corone, tintori, suonatori di flauto) sono incise sulle basi dove era fissato il dono offerto alla divinità da queste associazioni (esposte sul supporto al centro della sala).

Ancora una dedica alla Fortuna si trova sull'ara donata da Valeria Saturnina in memoria del padre, mentre una dedica alla Pietas Fortuna Primigenia è posta da un Fortunatus e dalla liberta Aurelia Restituta, forse per celebrare il ritorno degli imperatori Marco Aurelio e Commodo dalla spedizione contro i Quadi e i Marcomanni.

All'ambito funerario riportano tre altari: quello di Telegenia Nobilis e di Marcus Bettius Costantius, decorato da foglie di acanto con figure umane e animali, quello dedicato al medico Publius Aelius Pius, con la raffigurazione di strumenti chirurgici, e infine quello dedicato agli Dei Mani, ornato da ghirlande.

Altare funerario del medico Publius Aelius Pius

Altri culti a *Praeneste*
Aspetti del politeismo romano

Le sculture e i documenti epigrafici esposti documentano i culti praticati nella città di Praeneste *accanto a quello principale di Fortuna. In alcuni casi sono rappresentate divinità del* pantheon *greco-romano, in altri sono documentate religioni di derivazione orientale. In questo politeismo allargato antichi e nuovi dèi coesistono, spesso attraverso l'assimilazione delle divinità straniere a quelle autoctone, in un fenomeno di sincretismo religioso comune alla cultura greca e a quella romana.*

Nella sala sono esposte due dediche a Giove Ottimo Massimo. La prima (seconda metà II *o prima metà* III *secolo d.C.) è relativa a un altare offerto da* Lucius Aponius Mitheres *e da suo padre (il cognomen del dedicante è da collegare al dio Mitra, in alcuni casi assimilato a Giove stesso); la seconda venne posta da* Marcus Aeficius *e* Aulus Saufeius, *i cui gentilizi appartengono a due antiche famiglie, gli* Aeficii *e i* Saufeii, *evidentemente sopravvissute all'eccidio di Silla dell'82 a.C., poiché intorno alla metà del* I *secolo a.C., periodo al quale si data la lastra, due membri di queste famiglie pongono la dedica.*

Nella vetrina al centro della sala è un gruppo scultoreo che rappresenta Mitra secondo l'iconografia più diffusa tra il II *e il* III *secolo d.C.: il dio in costume orientale è raffigurato nell'atto di pugnalare un toro, i cui testicoli sono attaccati da uno scorpione. Un serpente e un cane si avvicinano alla ferita inferta da Mitra.*

L'introduzione del culto di Mitra, divinità di origine iranico-babilonese, è fatta risalire al I *secolo a.C., ma solo dalla fine del* I *d.C. il mitraismo si diffonde in particolare negli ambienti militari.*

*È inoltre presente una testa di Serapide (*III *secolo d.C.), divinità dell'oltretomba e tutelare della salute, di origine egiziana; il culto, molto popolare nel mondo romano, prevedeva, come quello di Cibele e di Mitra, l'iniziazione misterica attraverso un rituale di purificazione e la mistica unione con la divinità. Questi aspetti misteriosofici delle religioni orientali attecchirono profondamente nella cultura romana e, seppure introdotti in età più antica, si diffusero in particolare dall'età severiana, promettendo salvezza e rinascita in un periodo di crisi economica e sociale.*

Sulla fronte del sarcofago (seconda metà II *secolo d.C.) è invece raffigurato l'episodio del giudizio di Paride in due scene separate da un pilastro. Della prima scena si conserva la parte superiore del corpo di Paride, la testa di Minerva, Giunone e la Vittoria; manca, invece, Venere. Nella seconda il ritorno delle divinità sull'Olimpo, ma dell'episodio rimane solo la parte superiore di Minerva.*

Dedica a Ercole
(seconda metà II secolo a.C.)

Dedica posta a Ercole dal pretore *C. Tampius Tarenteinus*, appartenente alla *gens Tampia*, una delle più note tra le famiglie prenestine scomparse dopo la strage di Silla.

Statuetta di Cibele

La dea, seduta in trono, è affiancata da due leoni. Il culto di Cibele, la Grande Madre procreatrice di ogni cosa e genitrice di tutti gli dèi, fu introdotto a Roma nel 204 a.C.

Frammento di sarcofago dionisiaco

Il frammento (170-180 d.C.) appartiene alla fronte di un sarcofago attico decorato con menadi e satiri danzanti, prezioso prodotto ateniese di importazione.

La necropoli
Ostentazione del lusso
e ideologia funeraria

I corredi delle tombe

La città preromana era circondata da più aree sepolcrali situate all'esterno della cinta muraria, ma la necropoli principale, per ampiezza, numero di tombe e quantità di oggetti restituiti, si trova a sud dell'area urbana (località Colombella), e i suoi materiali testimoniano una continuità d'uso dall'VIII secolo a.C. fino alla prima età imperiale.

Dopo lo sfarzo delle tombe orientalizzanti la documentazione relativa al VI secolo è molto scarsa, forse a causa del cambiamento degli usi funerari: sappiamo infatti che in quest'epoca a Roma e nel mondo latino entrarono in vigore leggi, derivate dal mondo greco, che stabilivano limitazioni al lusso funerario.

Dall'inizio del V secolo nei corredi funerari compaiono di nuovo oggetti di pregio importati dall'Etruria (specchi, bronzetti e monili d'oro) che testimoniano l'esistenza di una classe benestante.

L'attività delle officine locali inizia a Palestrina nel V secolo, con la produzione di ciste (veri e propri beauty-case *per gli oggetti destinati alla cura della bellezza femminile) che in una prima fase sono di cuoio o legno e lamina di bronzo traforato e successivamente vengono realizzate interamente in lamina bronzea decorata a incisione, con manici e piedi configurati in bronzo fuso.*

Dal IV secolo i corredi tombali dimostrano una fase di grande ricchezza.

Fra gli elementi di corredo, numerose le ciste cilindriche decorate a incisione sul corpo, con figurazioni a soggetto mitologico o di genere, arricchite da manici e piedi figurati a tutto tondo. Nelle tombe femminili alle ciste sono spesso associati specchi di bronzo di produzione locale, anch'essi decorati a incisione, di forma allungata e dal manico fuso.

Le decorazioni degli specchi e delle ciste mostrano nei soggetti e nello stile un'evidente dipendenza da modelli pittorici, con forti influssi dalla Magna Graecia.

Questo collegamento con l'Italia meridionale è confermato dalla presenza di oggetti importati da quella zona, come le teche di specchio figurate, paraguance di elmo in bronzo con figurazioni in rilievo o gli strigili con marchio in greco. Questi ultimi, strumenti ricurvi con manico spesso figurato usati dagli atleti per detergersi, erano prodotti anche localmente, così come l'altro tipico oggetto da palestra conosciuto a Praeneste, il vaso a gabbia di bronzo, che, completato da un sacchetto interno di cuoio, conteneva la sabbia necessaria per levigare la pelle.

Provenienti da tombe di questo periodo, si devono a officine prenestine anche altri oggetti di osso e avorio (pettini, spilloni, strumenti per la cura della bellezza e lastrine con bassorilievi che decoravano cofanetti), di legno (scatolette per polveri colorate per il trucco) e di pasta vitrea (collane).

Nella vetrina 1 è esposto il corredo di una tomba (tomba 3) rinvenuta nella zona della Colombella, l'unico della prima metà del V secolo a.C. Ne fanno parte una collana in pasta vitrea con pendente in ambra, uno specchio con manico decorato da palmetta e rivestito di osso, un'anforetta con decorazione a fasce e un aes rude *(pezzo di bronzo informe con valore pre- monetale). Sono visibili inoltre due reperti fuori contesto della collezione Barberini: una* pelike *a figure rosse (prima metà V secolo a.C.) e un coperchio di specchio di bronzo, prodotto a Taranto su imitazione di modelli corinzi, che raffigura Atena mentre sta per colpire il gigante Encelado, alato e con gambe a forma di serpente (350-325 a.C.).*

Sul ripiano intermedio, fra reperti fuori contesto dalla collezione Barberini, è uno specchio con Minerva e, dietro di lei, Fortuna (i nomi delle divinità sono incisi accanto alle rispettive figure). Le due dee sono davanti a un carro – trainato da una pantera, un cervo, un grifo e una lince – su cui sale Iaco. Nello spazio al di sotto, lotta di Giasone con il drago.

Sempre nella vetrina 1 sono materiali provenienti dallo scavo recente di tombe della necropoli della Colombella. Fra questi si segnala una statuetta fittile di sileno che suona il flauto (tomba 1), un dado di osso (tomba 25) e un piede di argilla. Particolarmente interessante una rara moneta di bronzo con Giove sul dritto e prora di nave sul rovescio (250-200 a.C.). Appartiene forse a una sepoltura di bambino il corredo della tomba 20, per la presenza di un cippo a pigna miniaturistico.

Sul ripiano inferiore, fra reperti fuori contesto dalla collezione Barberini, è una cista cilindrica con impugnatura in origine costituita da tre statuette, di cui restano una figura maschile e una femminile che impugna un coltello, da riferirsi forse a una scena rituale. Sul corpo Perseo che, alla presenza di Atena alata, mostra la testa di Medusa a Zeus, contraddistinto dal fulmine e dall'aquila. Alla scena assiste una serie di dodici personaggi.

Nella vetrina 2 è un corredo di tomba (IV-III secolo a.C.) rinvenuta presso Porta San Martino, costituito da cista, specchio e tre coppette di ceramica a vernice nera. Sul ripiano intermedio, provenienti dalla collezione Barberini, sono placchette in osso (inizi IV secolo a.C.) di rivestimento di un cofanetto di legno: sulla prima Hermes, sulla seconda Eracle, sulla terza un giovane con lancia e corazza.

Nella stessa vetrina, a titolo esemplificativo, sono riuniti oggetti della collezione Barberini, privi dei dati di provenienza, che mostrano però la tipica composizione di un corredo maschile.

È presente un vaso a gabbia e uno strigile, una punta di lancia, un aes rude *e due paraguance di elmo raffiguranti, l'una Ercole, e l'altra la lotta fra un greco e un'amazzone. Si tratta di prodotti di officine di Taranto (IV secolo a.C.).*

Sempre a titolo esemplificativo, nella stessa vetrina è proposta la ricostruzione anche di un corredo femminile. Sono visibili due scatolette di legno a forma di anatrella, divise in scomparti per contenere le polveri per il trucco, diverse spatoline e un manico di osso a forma di figura maschile.

È esposta inoltre una collana in pasta vitrea, un vaso di alabastro per unguenti e i tipici oggetti femminili: specchio, con incisa la testa di Minerva, e cista, risultato di un riadattamento in parte antico e in parte moderno, sul corpo della quale è incisa una scena di combattimento.

La ricostruzione del corredo è completata da un'esemplificazione del vasellame ceramico, con una pelìke a vernice nera con decorazione sovradipinta e alcuni vasetti miniaturistici a vernice nera.

Nella vetrina 3 da osservare ancora due specchi, uno con scena di conversazione fra una figura femminile seduta e un genio alato e l'altro con un satiro e Dioniso, appoggiato ad Arianna, seduta su una roccia.

Nella vetrina 4 sono materiali diversi della collezione Barberini: unguentari di alabastro e pasta vitrea, strigili di bronzo e vaso a gabbia con accanto uno strigile. È anche presente una piccola cista realizzata con una lamina di bronzo, in origine destinata a una cista più grande, poi riutilizzata e tagliata a metà, raffigurante Achille che riceve le armi dalla madre Teti, alla presenza di Nereidi e giovani guerrieri.

Coperchio di specchio con Atena in lotta con il gigante Encelado

Nel lato B della stessa vetrina è uno specchio interessante per il soggetto della raffigurazione e per l'iscrizione incisa, in alto a sinistra: "Nocno schiavo di Publio Valerio". Conosciamo quindi il nome dell'incisore (Nocno), schiavo alle dipendenze dei Valeri. A sinistra, un vecchio seduto e, a destra, una donna sullo sfondo di una porta. Al centro un cigno ad ali spiegate. Sul ripiano intermedio, invece, il coperchio di una cista, con cavalli e draghi marini incisi. Il manico è costituito da due statuine di un uomo e una donna avvinti. Sul corpo della cista è la raffigurazione del mito di Amykos. È visibile il leggendario re, figlio di Apollo, legato a un albero dopo essere stato sconfitto al pugilato da Polluce, capo degli Argonauti, incoronato da Atena.

La necropoli della Colombella (vetrina 5) fu sconvolta per circa due secoli da scavi effettuati come saccheggi con conseguente smembramento dei corredi. Fortunatamente uno scavo effettuato nel 1991 in località Selciata, a sud-ovest dell'area urbana, lungo la via Prenestina, ha permesso l'individuazione di tombe di epoca medio-repubblicana, ancora intatte, dove è stato possibile effettuare ricerche sistematiche. Anche se gli oggetti di corredo sono di qualità inferiore rispetto a quelli della Colombella, la scoperta è comunque importante perché ha fornito nuovi dati per la comprensione del rituale funerario e delle ideologie della società prenestina.

Cista cilindrica con carro tirato da cigni alati

Cista con scena incisa che rappresenta una donna, accompagnata da geni o Vittorie, che sale su un carro tirato da due cigni ad ali spiegate. Il manico del coperchio raffigura Ercole con la clava alzata mentre sta per uccidere il leone nemeo.

*Cista cilindrica con mito di
Bellerofonte e Pegaso*

Cista con scene incise che illustrano la
storia di Bellerofonte, eroe greco che
incontrò il mitico cavallo alato Pegaso
mentre beveva a una fonte, e che, dopo
averlo domato, ne divenne il padrone,
potendo così vincere la lotta contro la
Chimera, terribile mostro leonino. La
figurazione rappresenta prima la lotta
dell'eroe contro il cavallo, poi Pegaso
tenuto per la briglia da Bellerofonte, alla
presenza di Zeus e di altri personaggi. Il
manico è composto dalle statuette di un
giovane e una donna nudi.

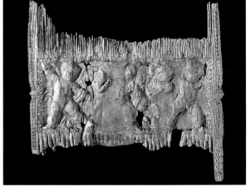

Pettine d'avorio

Conserva solo parte delle due file di
denti ai lati di una fascia raffigurante
amorini alati.

Cista cilindrica con scena di toletta

Cista con manico del coperchio
costituito dalla figura di una donna nuda
riversa. La cista è decorata da un fregio
con personaggi tra i quali si interpone
un guerriero con il proprio cavallo, senza
un legame logico o narrativo. I piedi
sono a zampa felina con capitello ionico,
mentre al di sopra è una placca con un
genio alato inginocchiato con in mano
una fiaccola.

Vaso a gabbia di bronzo con strigile

Il vaso a gabbia, completato da un
sacchetto interno di cuoio, conteneva
la sabbia che, mescolata all'olio, veniva
utilizzata per pulire e levigare la pelle.
Una volta cosparsa sul corpo, la sabbia
veniva asportata per mezzo dello strigile.

Oggetti tipici di un corredo femminile

Scatoletta di legno a forma di volatile
per polveri colorate e spatoline di
bronzo e osso.

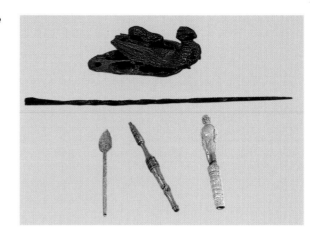

Cista cilindrica con centauromachia

Il manico del coperchio è composto da
un gruppo con Dioniso ebbro
appoggiato a un giovane satiro che
sorregge il corno per bere.

*Cista cilindrica con corpo di legno
e cuoio*

Rappresenta il tipo più antico delle ciste
prenestine, diffuso nella prima metà del
IV secolo. I piedi sono composti da una
zampa leonina e da una placca con scena
di lotta fra un giovane nudo e un uomo
barbato afferrato per i capelli. Il manico
è formato da due statuette di giovani
nudi con elmo che sostengono il corpo
di un compagno morto.

Specchio con testa di Minerva incisa

Specchio con Elena e Menelao

Nel tondo dello specchio (inizi III secolo a.C.), forse prodotto a Chiusi, è raffigurata una scena mitologica con personaggi, i cui nomi sono in parte indicati dalle iscrizioni etrusche incise sul bordo. Si tratta della raffigurazione di un episodio del ciclo troiano, i cui protagonisti sono Menelao e Teucro (Paride), Criseide e forse Briseide, alla presenza di Venere (Turan). La donna non nominata potrebbe essere Elena.

Specchio con Bellerofonte e Pegaso sopra la Chimera

Forse il più antico fra gli specchi conservati nel museo (inizi IV secolo a.C.). A cavallo di Pegaso, il mitico destriero alato, Bellerofonte sta per uccidere la Chimera, mostro con doppia testa di capra e leone.

Cista di bronzo

A titolo esemplificativo della funzione delle ciste come beauty-case, all'interno sono posti un vaso per unguenti di alabastro, aghi crinali, spatoline di osso per il trucco e uno specchio.

Rivestimento di terracotta con amazzone

Rivestimento di terracotta (fine IV-III secolo a.C.), forse di un vaso di legno, come indicano i fori per i chiodi, con scena di lotta di un'amazzone contro un greco caduto.

Rivestimento di terracotta con erote e cavalli

Anche questo elemento forse serviva come rivestimento di un recipiente di legno. Vi sono raffigurati quattro cavalli e un erote che suona il doppio flauto.

Reperti di *Praeneste* a Roma

Già dal periodo orientalizzante (fine VIII-VII secolo a.C.), si assiste a un'eccezionale fioritura economica della città, testimoniata dai principeschi corredi dell'epoca, conservati a Roma nei Musei Capitolini, Vaticani e di Villa Giulia, analoghi a quelli coevi dei maggiori centri dell'Etruria meridionale. L'accumulo di beni preziosi dimostra la volontà di vistosa ostentazione in ambito funerario di una ristretta *élite* dominante, un esiguo ma potente ceto aristocratico che fondava probabilmente il suo ruolo di predominio oltre che sulla proprietà terriera anche sul controllo degli importanti assi di comunicazione di cui *Praeneste* è un punto di incrocio, e quindi sul controllo dei commerci a essi collegati. Dal IV secolo la città vive un momento di rinnovata floridezza, che si manifesta anche nella qualità dell'artigianato artistico locale, specializzato nella produzione di oggetti in bronzo. Autentico capolavoro di questa produzione è la celebre cista Ficoroni, decorata dall'artigiano Novio Plauzio e, come ricorda l'iscrizione, donata da Dindia Malconia alla figlia in occasione delle nozze.

Pettine d'oro
(Roma, Museo Nazionale
Etrusco di Villa Giulia)

Coppa d'argento
(Roma, Museo Nazionale
Etrusco di Villa Giulia)

Cista Ficoroni
(Roma, Museo Nazionale
Etrusco di Villa Giulia)

Cippi e segnacoli

Nella necropoli medio-repubblicana le sepolture erano deposte in cassoni di tufo o peperino con coperchio non decorato, a lastra o a tetto, mentre il corredo era deposto nello stesso sarcofago o in cassette più piccole poste accanto a esso. Le tombe venivano contrassegnate da cippi a forma di pigna o busto femminile, spesso iscritti con il nome del defunto.

La necropoli della Colombella ha restituito più di trecento esemplari di questi cippi (metà IV-fine II secolo a.C.), oggi dispersi in vari musei e collezioni, generalmente a forma di pigna su capitello corinzio e posti su una base quadrangolare (a volte al posto del capitello vi è un pilastrino scanalato).

I cippi più antichi, analoghi a quelli delle necropoli etrusche, sono a forma di bulbo sferico appuntito su capitello tuscanico,

senza iscrizione, e con rappresentazioni animalistiche intorno alla base. Dalla metà del IV secolo compaiono i cippi a pigna allungati su cespo d'acanto, talora con inciso il nome del defunto. Queste epigrafi permettono di conoscere gran parte delle famiglie prenestine di età medio-repubblicana di cui a volte è possibile ricostruire ruolo politico o attività commerciali, basandosi sul ricorrere degli stessi nomi anche in altre iscrizioni (per esempio, famiglie dei Saufeii, settore A, nn. 1-3; e soggetti femminili delle famiglie degli Anicii, Orcevii e Dindii, settore B, nn. 1-3). I cippi privi di iscrizione potevano essere appoggiati su una base quadrata iscritta, o il nome poteva essere dipinto sul cippo stesso.

I busti, non veri ritratti fisionomici ma immagini evocative del tipo da incassare su

Cippi a pigna

basi parallelepipede su cui era iscritto il
nome, sono quasi tutti femminili:
raffigurano donne velate ornate da ricchi
gioielli, con la mano destra portata al
petto, secondo il modello statuario della
Pudicitia.

Particolarmente interessanti i busti
femminili e le relative basi con iscrizioni,
che documentano gentilizi derivati da nomi
di città (settore C, nn. 8-10). La prima
ricorda una donna, il cui gentilizio deriva
dal nome di Satricum, città latina poi
occupata dai Volsci. Sul busto acefalo si
legge il gentilizio Fidenatia, derivato da
Fidenae, centro situato poco a nord di
Roma, lungo la Salaria. Questi reperti
sono interessanti per la conoscenza
dell'onomastica della città, poiché da essi si
possono identificare più di 130 gentilizi
delle famiglie prenestine esistenti fra IV e
I secolo a.C.

Nell'angolo a sinistra della finestra sono
esposti alcuni cippi di grandi dimensioni
e una base di cippo con incasso
circolare, decorato da un rilievo con
personaggi togati sopra il quale è
l'iscrizione con il nome del defunto,
membro della famiglia dei *Saufeii*, già
ricordata.

Busto femminile

Cippo a pigna

La tipologia delle sepolture

Le informazioni sulla tipologia delle sepolture nella necropoli medio-repubblicana di Praeneste *sono molto parziali. Sappiamo che si tratta di deposizioni in sarcofagi monolitici di tufo, in casi eccezionali decorati, o in sarcofagi a lastre o infine (dal III secolo a.C.) in fosse più povere dette "alla cappuccina", coperte appena da tegole. A Palestrina è noto anche l'uso dell'incinerazione, la cui cronologia non è però ben definibile. Gli oggetti di corredo erano posti all'interno del sarcofago o all'esterno, entro cassette di tufo collocate accanto. I sarcofagi di tufo o peperino erano chiusi da coperchi piani, ricurvi o a doppio spiovente, di solito non decorati, a eccezione di un coperchio a tetto displuviato, pervenuto senza cassa dagli scavi ottocenteschi: i frontoni sono decorati da acroteri con testa di Medusa, mentre negli spazi triangolari compaiono su un lato un grifo, e forse un cane, e sull'altro due leoni. Sui lati lunghi è un fregio con tre coppie di animali (grifi, leoni, pantere e altri non identificabili). Il coperchio rappresenta il più antico esempio di sarcofago scolpito nel Lazio (380-370 a.C.).*

Coperchio di sarcofago decorato

La tomba 9 della Selciata

Il sarcofago della tomba 9 è chiuso da un coperchio con abbozzo di *columen* (trave centrale longitudinale del tetto). Il corredo (IV-III secolo a.C.) è sistemato nella vetrina delle stesse dimensioni interne del sarcofago, con gli oggetti disposti quasi nella stessa posizione originaria. Si tratta di un corredo femminile comprendente una piccola cista decorata sul corpo con palmette e fiori di loto, e sul coperchio da una ghirlanda. I piedi sono a zampa felina con capitello ionico sormontato da un leoncino, mentre il manico è formato dalla statuetta di un felino. All'interno della cista si trovava uno specchio con inciso un satiro che insidia una ninfa, una spatola per il trucco e un unguentario di alabastro; accanto uno strigile in ferro. Il servizio ceramico è composto da una brocchetta, una scodella e due coppette a vernice nera, oltre a un *askòs* a vernice nera sovradipinta.

Esposizioni temporanee

*Sulla destra, pavimento repubblicano
realizzato con scaglie di calcare e di tufo, e
parti di cotto, decorato da elementi vegetali.
Sulla stessa parete, dall'altro lato della
porta, è invece una pavimentazione
appartenente al santuario di Fortuna,
formato da tessere bianche con inserti
marmorei (fine II-inizi I secolo a.C.).
Sulla parete di sinistra, a destra della
porta, è un grande mosaico in bianco
e nero con grifi e cavalli marini
(età imperiale), mentre dalla parte opposta
è un pavimento distaccato da un ignoto
edificio dell'area urbana della città
(fine del II-inizi I secolo a.C.).
In fondo al salone, inglobate nel palazzo
rinascimentale, le strutture superstiti in
opera incerta del tempio rotondo sulla
sommità del santuario, dove, come ricorda
Cicerone, un olivo trasudò miracolosamente
miele e dove si trovava la statua di culto in
bronzo dorato di Fortuna. Questo tempio
rappresentava il punto culminante del
complesso sacro.*

Il santuario di Ercole
La protezione della salute
e delle greggi

Il santuario di Ercole, situato appena fuori la città bassa, presso l'incrocio delle principali vie di comunicazione di fondovalle, rivestì un importante ruolo, come provano i numerosi materiali votivi rinvenuti e le strutture che, sebbene portate in luce solo in piccola parte, sono imponenti e molto estese. La sua posizione suburbana va forse spiegata in rapporto a un mercato del bestiame, da localizzare nei pressi dell'incrocio di San Rocco, e al ruolo di Ercole quale protettore delle greggi transumanti tra le regioni appenniniche e il Lazio.

L'antica origine del santuario è documentata dai frammenti di decorazione architettonica degli ultimi decenni del VI secolo a.C. e dalle teste votive di produzione locale, che datano l'avvio della produzione almeno agli inizi del V secolo, sebbene la documentazione più significativa sia relativa al periodo tra IV e II secolo a.C. I ritrovamenti attestano una frequentazione protratta nel tempo fino a epoca tardo-repubblicana (fine II-inizi I secolo a.C.), quando, con la ristrutturazione urbanistica della città, esso assunse un aspetto monumentale.

Se gli scavi non hanno finora portato in luce resti di un vero edificio di culto, tuttavia le numerose terrecotte di decorazione architettonica rinvenute nei depositi votivi fanno supporre l'esistenza di una o più strutture templari.

Numerosissimi e molto diversificati i reperti recuperati, comprendenti tutte le categorie di oggetti votivi (teste isolate, statuette di offerenti o divinità, bambini in

fasce, animali, anatomici e statue maschili e femminili a grandezza naturale o più ridotte). A questi si aggiungono vasellame d'uso o miniaturizzato, oggetti d'ornamento personale di bronzo e monete, che dall'età repubblicana arrivano fino alla piena età imperiale.

Le offerte in terracotta testimoniano una devozione popolare intensa e multiforme, e l'elevato numero di votivi anatomici sembrerebbe indicare soprattutto una richiesta di protezione della salute e della fertilità.

La maggior parte dei votivi è di produzione locale, frutto di officine specializzate nella lavorazione dell'argilla e nella tecnica dello stampo. Queste produzioni diversificate cessano agli inizi del II secolo a.C., quando l'artigianato locale, come in altre città, soffocato dalla preponderanza delle officine romane, perde la propria autonomia creativa e non trova più spazio sul mercato.

Nelle vetrine le teste sono ordinate cronologicamente e talora per ogni tipo sono esposti più esemplari, a illustrare la produzione in serie di questi oggetti da una stessa matrice, ricavata da un prototipo modellato a mano. Le teste non sono raffigurazioni fisionomiche, ma servono soltanto a evocare la condizione e la qualità del dedicante (uomo, donna, giovane, adulto, armato, donna sposata ecc.).

Alla fine del V secolo si può riferire una serie di teste femminili con acconciatura a

riccioli sulla fronte e davanti alle orecchie, che sporgono da un nastro annodato sulla nuca. È esposta inoltre una serie di teste e mezze teste votive femminili velate (IV secolo a.C.), alcune delle quali con diademi sul capo o con gioielli (collane e orecchini pendenti).

Le statue maschili, di cui si conservano solo piccoli frammenti, rappresentano personaggi togati nell'atto dell'offerta, con il braccio destro al petto e la mano chiusa a pugno o semiaperta a tenere il bordo del mantello. Quelle femminili raffigurano personaggi che indossano tunica e mantello, con le braccia in varie posizioni, piegate nel gesto dell'offerta o avvicinate al petto.

Testa votiva fittile

Fabbricazione delle terrecotte votive

La tecnica a stampo permetteva di produrre, a partire da un primo modello lavorato a mano (prototipo), un gran numero di esemplari, realizzati in serie successive. Dal prototipo si ricavava una matrice di argilla cruda a due valve successivamente cotte, dalla quale si potevano ottenere numerose copie simili fra loro, ma differenziate sia per le dimensioni, a causa del restringimento dell'argilla in fase di essiccazione e di cottura, sia per gli interventi a mano libera degli artigiani, che potevano arricchire o modificare il modello di base con aggiunte di elementi accessori. Un altro intervento a mano libera degli artigiani era la coloritura dei pezzi, di cui si conservano di solito scarse tracce, in quanto stesa dopo la cottura. Interessanti sono le lettere, i segni e i timbri incisi o impressi prima della cottura, che forniscono preziose indicazioni sulla condizione sociale degli artigiani, di solito non schiavi ma uomini liberi, e sull'organizzazione delle officine, che erano a conduzione familiare, con un solo maestro artigiano, o di tipo più 'industriale', con attività su larga scala e impiego di mano d'opera dipendente, tanto da rendere necessario l'uso di segni, spesso numerali, per il controllo interno della produzione.

1. Modellazione a mano del prototipo di argilla cruda

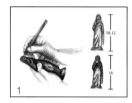

2. Dal prototipo cotto si ricava la matrice posteriore

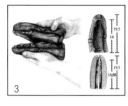

3. Dal prototipo cotto si ricava la matrice anteriore

4. Dalle due matrici cotte si ricavano le due metà del votivo

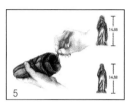

5. Giunzione delle due metà del votivo all'interno della matrice

6. Eliminazione delle sbavature e delle eccedenze di argilla cruda

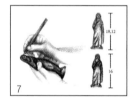

7. Aggiunta di eventuali particolari o ritocchi e cottura del votivo

Sequenza della produzione di serie successive di statuine con progressiva riduzione delle dimensioni.

a. Modellazione a mano
b. Copia di primo grado cruda nella matrice cotta
c. Serie di copie di primo grado cotte
d. Da una delle copie di primo grado si ricava un'ulteriore matrice di secondo grado cruda
e. Copia di secondo grado cruda nella matrice di secondo grado cotta
f. Serie di copie di secondo grado cotte

a   b   c   d   e   f

Le offerte votive
Speranza e sofferenza
dei devoti

Sono qui esposte le offerte del santuario di Ercole e degli altri luoghi di culto di Palestrina, che i devoti dedicavano alle divinità, testimonianza di un profondo sentimento religioso ed espressione popolare di speranza, sofferenza o gratitudine.

Accanto alla riproduzione di parti del corpo umano, in cui riconoscere i segni delle malattie da cui i fedeli imploravano la guarigione, compaiono anche statuette di animali – forse simboli di un sacrificio al dio o segni della richiesta di guarigione da parte dell'umile colono romano per il proprio bestiame – statuette di offerenti o divinità, riproduzioni di oggetti più o meno connessi con il culto.

Provenienti dai depositi votivi del santuario di Ercole, numerose sono le piccole statuine (vetrina 1), prodotte in gran numero a matrice, in serie. Sono esposte statuine di donne sedute con bambini in braccio e statuette di bambini in fasce, che si riferiscono al desiderio o al ringraziamento per la maternità. Tra le divinità compaiono Apollo, Venere e Silvano, accompagnato dal cane, che allude alla caccia. Esposta, inoltre, una campionatura di statuette di animali, fra cui bovini, ovini, cinghiali o maiali, cavalli, ed eccezionalmente anche una statuetta di cane. Tra i votivi anatomici sono visibili braccia, mani, singole dita, piedi singoli o con polpaccio. Numerosi i busti, tra cui uno che, attraverso un'apertura, mostra i visceri, oltre a organi genitali e uteri, e ancora occhi, orecchie, lingue e organi interni come vesciche, reni e cuori.

Nel deposito votivo del santuario di Ercole e degli altri luoghi di culto sono stati rinvenuti anche oggetti di uso quotidiano, tra cui vasi, lucerne, oggetti d'ornamento e monete (vetrina 2).

Numerosi i vasi a vernice nera, tipica produzione italica della media età ellenistica, fra cui un gruppo di vasi con bolli epigrafici sul fondo, interpretabili come le iniziali o la sigla del gentilizio dei proprietari delle officine ceramiche.

Altri oggetti votivi provengono invece da una stipe recuperata in località La Pescara, a ovest della città, dove è ipotizzabile un importante santuario repubblicano. Nella vetrina anche una statuetta bronzea di giovane nudo, di provenienza sconosciuta e appartenente alla collezione Barberini (inizi V secolo a.C.).

Statuetta bronzea di giovane nudo

La decorazione architettonica fittile
Dall'artigianato artistico alla standardizzazione di serie

Gli elementi in terracotta, che rivestivano gli edifici templari e talora quelli residenziali, in origine servivano a proteggere le travature lignee della struttura architettonica, ma ben presto assunsero anche una funzione decorativa. Le terrecotte, per lo più a stampo con ritocchi a mano, si dividevano in vari elementi relativi alla copertura degli architravi (lastre di rivestimento), ai rivestimenti degli spioventi frontonali (sime, con le sovrastanti cornici traforate), alle antefisse (elementi terminali dell'ultimo coppo dello spiovente) e, infine, alle decorazioni del frontone. Completavano la decorazione fittile gli acroteri, elementi a tutto tondo posti sul culmine e sugli angoli del tetto. È solo dal VI secolo a.C. che si assiste allo sviluppo di una larga produzione coroplastica, destinata agli edifici templari dell'area etrusco-italica. Tali decorazioni, influenzate nei soggetti dall'ideologia della classe aristocratica in ascesa, si incentrano soprattutto sui temi della corsa dei carri, del banchetto e del trionfo, come nelle sime arcaiche di Palestrina (510-500 a.C.), in cui è possibile leggere l'eroizzazione del capo aristocratico che, salendo sul carro della dea, trasfigura dalla semplice dimensione umana a quella divina. Successivamente (V secolo a.C.) tali sime presentano solo una decorazione dipinta a meandro o a treccia (vetrina 1, lato B, ripiano inferiore).

Le antefisse, che nell'epoca più antica rappresentano semplici volti femminili o protomi feline, dalla fine del VI secolo a.C. raffigurano fregi vegetali o busti femminili (vetrina 1, lato A, ripiano intermedio). La produzione successiva al V secolo si uniforma a schemi decorativi piuttosto standardizzati, diffusi in tutta l'area etrusco-laziale tra il IV e il II secolo a.C. Le lastre di rivestimento degli architravi presentano per lo più una fascia con fregio vegetale a palmette contrapposte, oppure a palmette diagonali separate da doppie spirali (vetrina 2). Nelle antefisse, rappresentazioni di satiri e menadi, nereidi o sirene. Un tipo di antefissa assai diffuso (III-II secolo a.C.) rappresentava un Eros che suona il doppio flauto e una menade danzante (vetrina 2, lato A, ripiano intermedio). Frequenti inoltre le antefisse con la potnia theròn *(signora degli animali), o con il corrispondente maschile del* despotes theròn, *tipo invece assai più raro (vetrina 1, lato A, ripiano superiore). Da segnalare inoltre il fregio fittile con grifomachia (fine IV-inizi III secolo a.C., vetrina 2, lato A, ripiano inferiore). Nel II e I secolo a.C. la produzione muta radicalmente per il ruolo prevalente di Roma, centro principale di elaborazione dei modelli. Inoltre in questo periodo si generalizza l'uso di decorare con rivestimenti fittili anche gli edifici civili*

Antefissa con rappresentazione di satiro

pubblici e privati. *Mentre nei fregi i motivi geometrici e floreali sono progressivamente sostituiti da soggetti figurati, le antefisse più frequenti sono invece quelle a palmetta, con immagini di delfini, protomi dionisiache o mitologiche, maschere. Ma già dall'età augustea la grande richiesta genera una produzione standardizzata, fabbricata ora non più in laboratori artigianali specializzati, ma in officine laterizie, con la conseguente degenerazione del livello artigianale e perdita di raffinatezza e qualità. Da notare, infine, alcuni rivestimenti architettonici in lamina bronzea che, provenienti dall'area del foro, rappresentano un raro esempio di una tecnica di decorazione conosciuta soltanto dalle fonti letterarie, in particolare da Vitruvio.*

Fregio fittile con grifomachia

Sima arcaica

Il mosaico del Nilo
Cultura egittizzante a *Praeneste*

Il famoso mosaico policromo a soggetto nilotico era in origine il pavimento di un ambiente absidato che si affacciava sull'antico foro della città. Esso costituisce una complessa composizione ispirata al paesaggio egiziano durante l'inondazione del Nilo, caratterizzata da finezza di esecuzione e ricchezza cromatica.

Ricordato per la prima volta nel 1614, il mosaico fu staccato, sezionato e portato a Roma, ma un pezzo, raffigurante un banchetto sotto un pergolato, fu acquisito dal granduca di Toscana e da lui venduto al Museo di Berlino, dove ancora si trova (la sezione oggi visibile a Palestrina è una copia). Verso il 1640 venne di nuovo trasferito a Palestrina, nel Palazzo Barberini, ma durante quest'operazione fu gravemente danneggiato e, con il restauro che ne seguì, oltre al rifacimento di alcune sezioni, si effettuò anche una ricomposizione inesatta.

Nuovamente staccato durante l'ultima guerra per salvaguardarlo dai rischi dei bombardamenti, fu poi restaurato e finalmente collocato nella sistemazione attuale.

Il mosaico è una sorta di carta geografica dell'Egitto, in cui è raffigurato il Nilo, le cui acque invadono gran parte della scena, dall'alto Egitto, ai confini con l'Etiopia (in alto), fino alla costa mediterranea (in basso). La parte alta raffigura la Nubia, caratterizzata da un paesaggio roccioso animato da piccoli cacciatori negri e da molti animali, con nomi scritti in greco.

Nella zona centrale si ha la rappresentazione di una serie di edifici monumentali. In particolare, sulla destra è visibile un tempio faraonico, rinchiuso entro una cinta muraria munita di torri, in cui è stato riconosciuto il santuario di Canopos dedicato a Osiride, dio degli inferi e della resurrezione della natura, oppure un tempio di Memphis. A sinistra è raffigurata un'altra città, anch'essa con mura merlate, all'interno delle quali è un edificio su cui sono radunati alcuni ibis. Ancora più a sinistra, un tempio con due obelischi, davanti al quale si trova una costruzione circolare da identificare con il "nilometro", posto a Elefantina, una delle maggiori isole del Nilo ai confini con la Nubia, che serviva per verificare l'inizio delle inondazioni, in base alle quali in Egitto venivano programmate le semine. Al di sotto, da una barca a remi, si svolge una caccia all'ippopotamo (la sezione seguente, con la festa sull'acqua sotto il pergolato, è la copia dell'originale che è a Berlino).

Nell'angolo a destra in basso, Alessandria d'Egitto, la città fondata da Alessandro Magno che divenne la capitale culturale e spirituale del mondo greco-orientale fra III e II secolo a.C., dove esistevano due grandi biblioteche, forse le più importanti del mondo greco dell'antichità, fondate dai Tolomei già all'inizio del III secolo e, in seguito progressivamente arricchite. L'edificio circondato da mura che si affaccia sul porto è forse da identificare

Il mosaico del Nilo

proprio con il palazzo dei Tolomei.
Davanti al palazzo sono raffigurati un
gruppo di soldati e una sacerdotessa cui si
avvicina un araldo.

Più a destra è visibile una processione
religiosa, formata da una portantina
preceduta da uomini che sostengono un
candelabro e seguita da persone con aste
sormontate da statuette di animali e
suonatori di tibie e timpani. Al di sotto,
nell'angolo in basso a destra, è visibile un
porto, identificabile con quello di
Alessandria, con barche a vela e una nave
da guerra guidata da un condottiero,
situato a prua.

Quello di Palestrina è uno dei più
importanti mosaici ellenistici conosciuti,
opera di quegli artisti alessandrini che

lavorarono in Italia già dal II secolo a.C.
La sua datazione è stata a lungo discussa,
ma ormai è accertato che l'opera risale alla
fine del II secolo a.C., come dimostrato
anche dal confronto con altri mosaici coevi,
in modo particolare con quello grandioso
che rappresenta la battaglia di Alessandro
Magno contro Dario (proveniente dalla
casa del Fauno a Pompei), collocato in una
esedra con soglia a soggetto nilotico che
costituisce il richiamo più diretto al
mosaico prenestino. Questa datazione è
anche confermata dalla sua collocazione
originaria, nell'edificio del foro databile
proprio in questo periodo. L'opera, che
potrebbe derivare da un originale pittorico,
va forse interpretata come un'allegoria
dell'Egitto sotto il dominio dei Tolomei.

Mosaico del Nilo, particolare: cacciatori negri

Mosaico del Nilo, particolare: città con mura merlate

Mosaico del Nilo, particolare: il porto di Alessandria

Il criptoportico
Un percorso attraverso
la città e il territorio

Lungo il lato settentrionale della terrazza della cortina, sei fornici, interrotti da una scalinata centrale, dànno accesso al criptoportico, ovvero a quel tratto di portico che, in corrispondenza del teatro, corre sotto la gradinata della cavea.

Il corridoio è coperto con una volta a botte che costituisce in parte la sostruzione della gradinata sovrastante. L'ambiente è in opera incerta e originariamente era ricoperto da stucchi. Il pavimento, ancora conservato per brevi tratti, era realizzato con tessere irregolari di calcare alternate a scaglie di pietre policrome. Nel XV secolo il criptoportico fu trasformato in cisterna e a questa sua riutilizzazione si collega la presenza del pozzo sulla gradinata. L'ambiente accoglie sculture e documenti epigrafici provenienti dalla città e dal territorio, tra cui si segnala una serie di basi in calcare destinate a sostenere i doni offerti alla Fortuna.

Fra le iscrizioni se ne segnalano due gemelle incise su lastre in calcare che ricordano la dedica forse di un sedile realizzato *aere Fortunai*, ovvero con il denaro della Fortuna. Era possibile, infatti, che il de-naro consacrato alla divinità fosse utilizzato per il restauro o l'ampliamento dei templi. Interessante anche l'iscrizione sepolcrale (I secolo a.C.) nella quale il defunto, originario di Vienna, città della *Gallia Narbonensis*, è ricordato come *praefectus fabrum*, carica di aiutante di un magistrato o di un comandante in campo, spesso con mansioni tecniche. Sono infine da ricordare la stele funeraria di una defunta, di cui sono note età (trentacinque anni) e professione (*untrix*), legata all'abitudine di cospargere il corpo con olii ed essenze profumate, e quella della defunta *Aconia Numeriana* (II-III secolo d.C.), morta all'età di dieci anni e quattro mesi, che era di origine etrusca, come dimostrano il suo gentilizio e l'esplicita menzione della città di *Caere* (Cerveteri).

Fra le statue, si segnalano una statua femminile seduta, con chitone e mantello, e la replica di età romana (I secolo d.C.) dell'Efebo Westmacott, celebre statua conservata al British Museum nella quale si è voluto riconoscere il Kyniskos (V secolo a.C.), opera di Policleto raffigurante un giovane vincitore delle gare di pugilato.

Rilievo funerario

Il rilievo funerario (fine II-inizi III secolo d.C.) riproduce la scena di designazione ufficiale dei giovani cavalieri davanti all'imperatore e ai censori, cerimonia che aveva luogo a Roma il 15 luglio e consisteva in una cavalcata che terminava sotto il tempio dei Dioscuri nel Foro Romano.

*Statua di Hermes
che si allaccia il sandalo*

Il torso di età augustea, rinvenuto nel foro più antico di Praeneste, apparteneva a una statua di Hermes che si allaccia il sandalo e raffigura il messaggero degli dèi nel momento in cui, chiamato da Zeus, si appresta alla corsa. Si tratta di una copia di un originale attribuito a Lisippo (314 a.C.).

Mosaico policromo

Sul fondo nero del mosaico (seconda
metà II-I secolo a.C.) è raffigurata una
donna nuda dalla folta capigliatura, con
le braccia sollevate. Un vecchio indica
la donna ed esclama: "Bella sì per Zeus
Olimpo!". La scena è forse da
interpretare come una gara di bellezza.

Riferimenti bibliografici

F. Fasolo – G. Gullini,
*Il santuario della Fortuna Primigenia
a Palestrina*, Roma 1956.

G. Gullini, *I mosaici di Palestrina*,
Roma 1956.

G. Quattrocchi, *Il Museo Archeologico
Prenestino*, Roma 1956.

M. P. Muzzioli, *Praeneste (pars altera)*,
Forma Italiae, I, 8, Roma 1970.

AA.VV., *Civiltà del Lazio Primitivo*, catalogo
della mostra, Roma 1976, pp. 213-249.

AA.VV., *Studi su Praeneste*, Perugia 1978.

F. Zevi, *Il santuario della Fortuna Primigenia
a Palestrina: nuovi dati per la storia degli studi*,
«Prospettiva», 16, 1979, pp. 2-22.

G. Bordenache Battaglia, *Le ciste prenestine*,
1, Roma 1979.

L. Quilici, *L'impianto urbanistico della città
bassa di Palestrina*, «Römische
Mitteilungen», 87, 1980, pp. 171-214.

F. Coarelli, *Lazio*, Bari 1982, pp. 124-160.

P. Pensabene, *Sulla tipologia e il simbolismo dei
cippi funerari a pigna con corona di foglie d'acanto
di Palestrina*, «Archeologia Classica», XXXIV,
1982, pp. 38-97.

F. Coarelli, *I santuari del Lazio in età
repubblicana*, Roma 1987, pp. 35-84.

A. Giuliano, *I rilievi della serie Grimani
da Palestrina*, «Bollettino Unione Storia
e Arte», XXX, 1-4, 1987, pp. 23-28.

L. Musso, *Rilievo con pompa trionfale
di Traiano al Museo di Palestrina*,
«Bollettino d'Arte», 46, 1987, pp. 1-46.

AA.VV., *Urbanistica e architettura
dell'antica Praeneste*, atti del convegno,
Palestrina 1989.

AA.VV., *La necropoli di Praeneste.
Periodi orientalizzante e medio-repubblicano*,
atti del II convegno di Studi Archeologici,
Palestrina 1992.

M.T. Onorati, *Teste votive di Palestrina:
recuperi e dispersioni*, «Mélanges de l'Ecole
Française de Rome. Antiquité»,
104, 2, 1992, pp. 597-657.

A.M. Reggiani, *Palestrina. Indagini nella
necropoli della Selciata*, «Quaderni
di Archeologia etrusco-italica», 21, 1993,
pp. 195-208.

B. Adembri, *Nuovi rinvenimenti dalla necropoli
della Colombella a Palestrina*,
«Quaderni di archeologia etrusco-italica»,
22, 2, 1995, pp. 487-496.

P.G.P. Meyeboom, *The Nile Mosaic of
Palestrina*, Leiden - New York - Koln 1995.

S. Gatti (a cura di), *Il Museo Archeologico
di Palestrina*, Roma 1996.

S. Gatti, *I Latini di Praeneste:
nuove acquisizioni*, in «Nomen Latinum,
Latini e Romani prima di Annibale»,
atti del convegno internazionale 1995,
«Eutopia», IV, 2, Roma 1997, pp. 95-122.

AA.VV., *Le Fortune dell'età arcaica nel Lazio
ed in Italia e loro posterità*, atti del III
convegno di Studi Archeologici,
Palestrina 1998.

N. Agnoli, *Palestrina: il cosiddetto macellum*,
«Atti della Accademia Nazionale
dei Lincei. Rendiconti», IX, 1, 1998,
pp. 157-167.

Fonti grafiche e fotografiche

p. 4: AA.VV., *Italia omnium terrarum alumna,*
Milano 1988.

p. 8: L. Quilici, in AA.VV., *Urbanistica ed
architettura dell'antica Praeneste,* Palestrina
1989.

p. 12: H. Kähler, *Das Fortunaheiligtum von
Palestrina Praeneste,* «Annal. Univ. Savar.»
VII, 3-4, 1958.

Disegni
Soprintendenza Archeologica per il Lazio
Anna Maria Manfredonia.

Fotografie
Soprintendenza Archeologica per il Lazio
Pietro Cavallari.

Questo volume è stato stampato
per conto di Mondadori Electa S.p.A.
presso Tipografia La Piramide (Roma)
nell'anno 2006